JN056388

iPad
はかどる!
仕事技
2021

standards

iPadなら いつでも どこでも 効率的かつ 創造的に

10:16
9月29日 火曜日

営業会議	9月
11時00分〜12時00分	日 月 火 水 木 金 土
青山さん来社	1　2　3　4　5
14時30分〜15時30分	6　7　8　9　10　11　12
英会話	13　14　15　16　17　18　19
19時00分〜20時00分	20　21　22　23　24　25　26
	27　28　29　30

新宿区 ◢
22°
☁
曇り時々晴れ
最高:23° 最低:15°

FaceTime
カレ

リマインダー

App Store

設定

Keynote
Po

いつでもどこでもすぐに起動し、広い画面とパワフルな処理能力でサクサクと仕事をこなせるiPad。本書では、パソコンともiPhoneとも異なるiPadだからこそ実現できる、効率的かつ創造的でスマートな仕事技をふんだんに紹介。仕事のスタイルを劇的に変える1冊になるはずです。

C O N T E N T S

iPadOS 14徹底解説

SECTION 01

メモと文章作成の仕事技

SECTION 04

PDFのの仕事技

SECTION 05

クラウドとファイル管理の仕事技

ＱＲコードの使い方

アプリを紹介している記事には、QRコードが掲載されています。「カメラ」を起動しQRコードに向け、スキャン完了後に表示されるバナーをタップすれば、App Storeの該当ページが開き、すぐにアプリをインストールできます。

はじめにお読みください

本書掲載の情報は、2020年10月のものであり、各種機能や操作法、表示メニューなどはアップデートにより変更される可能性があります。本書の内容は検証した上で掲載していますが、すべての環境での動作を保証するものではありません。本書掲載の操作によって生じたいかなるトラブル、損失についても著者およびスタンダーズ株式会社は一切の責任を負いません。すべて自己責任でご利用ください。

iPadOS 14
徹底解説

仕事がはかどる
新機能をチェック!

使い勝手がさらに向上した 新しいiPadOS 14

従来の機能がさらにブラッシュアップされた最新アップデート

　2020年9月17日（日本時間）、Appleは新OS「iPadOS 14」を正式リリースした。iPadの大きなディスプレイやApple Pencilとの親和性を活かした、パワフルな新機能が多数追加されており、従来よりもさらに扱いやすくなっている。そこで本章では、iPadOS 14の新機能の中から、仕事に役立ちそうなものをいくつかピックアップして紹介していく。刷新されたウィジェット機能、新しいアプリのデザイン、シンプルな見た目に変更されたSiriや検索など、注目の新機能をしっかり使いこなして、iPadでの作業をもっと効率化させてみよう。

ウィジェット機能が大幅に刷新され使いやすくなった

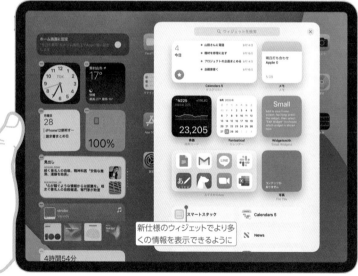

新仕様のウィジェットでより多くの情報を表示できるように

iPadOS 14では、ウィジェットの機能やデザインが大きく変更された。ウィジェットごとのサイズを変更したり、複数のウィジェットをスタックしてまとめたりが可能だ。

標準アプリのデザインが改善され、サイドバーなどが追加

ファイルアプリの場合、横向き時にサイドバーを固定表示できるようになり、パソコン的な使い勝手になった

ファイルや写真、カレンダーなどの標準アプリにサイドバーが追加された。また、新しくデザインされたプルダウンメニューやポップオーバー、ツールバーなどにより、各種機能にアクセスしやすくなっている。

Siriや検索、着信通知がコンパクトな表示に

従来、画面全体で表示されていたSiriや検索、着信通知画面などがコンパクトなデザインに変更された。作業中でも邪魔にならなくなり、アプリを使いながらSiriに命令するといったことも可能だ。

Siriは画面右下に表示されるように

使いこなしヒント

iPadOS 14にアップデートできるiPad対応機種

iPadOS 14にアップデートできる対応機種は右表の通り。一部の古いiPadはアップデートに対応していないので注意しよう。

12.9インチiPad Pro(第4世代)	iPad(第7世代)	
11インチiPad Pro(第2世代)	iPad(第6世代)	
12.9インチiPad Pro(第3世代)	iPad(第5世代)	
11インチiPad Pro(第1世代)	iPad mini(第5世代)	
12.9インチiPad Pro(第2世代)	iPad mini 4	
12.9インチiPad Pro(第1世代)	iPad Air(第4世代)	
10.5インチiPad Pro	iPad Air(第3世代)	
9.7インチiPad Pro	iPad Air 2	
iPad(第8世代)		

ウィジェットの新機能を使いこなそう

複数のウィジェットをまとめてスタック化できるように

iPadOS 14では、ウィジェット機能が全面的に刷新されている。ウィジェットごとに複数のサイズが用意され、ウィジェット表示（「今日」の表示）エリアを効率的に使えるようになった。また、同サイズのウィジェットをフォルダのように重ねられる「スマートスタック」機能も追加されている。スマートスタックには10個までのウィジェットを追加可能で、スタック内を指先で上下すれば表示するウィジェットを切り替えることができる。さらに、スマートスタックは、時刻や使用状況に応じてベストなタイミングでベストなウィジェットを自動で表示してくれるのもポイントだ。これらの新機能により、従来よりも多くの情報がホーム画面上で表示できるようになっている。

ホーム画面を右にスワイプしてウィジェットを表示

ウィジェットはホーム画面の一番最初のページを右にスワイプすれば表示される。カレンダーやニュースなど毎日チェックしたいウィジェットを表示しておこう。

新しいウィジェットを追加する

1 | ウィジェットを表示して画面をロングタップ

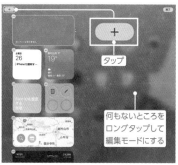

タップ

何もないところを
ロングタップして
編集モードにする

ウィジェットを追加したい場合は、まずウィジェットを表示し、何もないところをロングタップしよう。次に画面左上にある「＋」ボタンをタップする。

2 | 一覧から追加したいウィジェットをタップする

タップ

ウィジェット一覧が表示されるので、追加したいウィジェットをタップしよう。なお、ここに表示されるのはiPadOS 14の新仕様に対応しているものだけだ。

3 | ウイジェットのサイズを選んで追加する

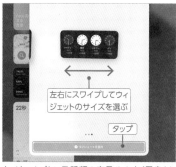

左右にスワイプしてウィ
ジェットのサイズを選ぶ

タップ

ウィジェットごとに数種類の表示サイズが用意されている。左右にスワイプして好きなサイズを選んだら、「ウィジェットを追加」をタップしよう。

4 | 追加されたら好きな位置に並べ替えよう

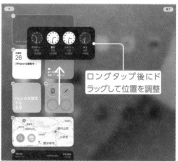

ロングタップ後にド
ラッグして位置を調整

ウィジェットが配置できたら、位置を調整しよう。ウィジェットはロングタップしてドラッグで位置を変更可能だ。よく使うものは画面の上部に移動しよう。

使いこなし
ヒント

旧仕様のウィジェットは「カスタマイズ」から追加

iPadOS 14に対応していない旧仕様のウィジェットは、「カスタマイズ」から追加が可能だ。ただし、これらの旧ウィジェットは移動できず、画面最下部にまとまって表示される。

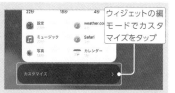

ウィジェットの編
モードでカスタ
マイズをタップ

スマートスタックで複数のウィジェットをまとめる

1 | 同じサイズのウィジェットを重ねる

ドラッグしてウィジェット同士を重ねる

スマートスタックは、ウィジェット同士をフォルダのようにまとめられる機能だ。利用するには、ウィジェットの編集モードでウィジェット同士を重ねてみよう。なお、スタック可能なのは同サイズのもののみだ。

2 | ウィジェットがスマートスタック化される

上下スワイプでウィジェットを切り替えられる

スタック化したウィジェットは、上下スワイプで表示を切り替えることが可能だ。また、「スマートローテーション」機能が有効であれば、状況に応じて関連性の高いウィジェットが自動的に表示される。

3 | スマートスタックを編集する

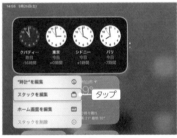

タップ

スマートスタック内の並び順などを変更したい場合は、スマートスタックをロングタップしよう。メニューが表示されるので、「スタックを編集」をタップ。

4 | スタック内の並び順や削除が可能

並べ替えや削除が可能

上の画面で三本線をドラッグして並べ替え、各ウィジェット名を左にスワイプして削除ができる。「スマートローテーション」機能のオン／オフも可能だ。

使いこなしヒント

配置したウィジェットやスマートスタックを削除する

ウィジェットを削除する場合は、ロングタップして「ウィジェットを削除」を選べばいい。スマートスタックも同じ方法で削除できる。複数の項目を削除したい場合は、ウィジェットの編集モードにしてから各項目の左上にある「−」ボタンを押そう。

ウィジェットやスタックをロングタップして、「〜を削除」をタップ

ウィジェットをホーム画面に固定する

1 「ホーム画面に固定」を オンにする

オンにする

横画面のときは、ウィジェットをホーム画面の最初のページに固定表示できる。ウィジェットの編集モードにしたら、「ホーム画面に固定」をオンにしよう。

2 ホーム画面の最初のページに 固定される

画面左側に固定表示される。なお、利用できるのは横画面のみ

すると、ホーム画面の最初のページにウィジェットが固定表示される。よく使うウィジェットをすぐ確認したいときに便利。日時も確認しやすくなる。

ウィジェットをピン固定する

1 ウィジェットを ピン固定のエリアにドラッグ

ピン固定したいウィジェットをドラッグ&ドロップ

「ホーム画面に固定」がオンだと、ウィジェットのピン固定が可能だ。まずは、お気に入りのウィジェットを上部のピン固定エリアにドラッグしよう。

2 ピン固定した ウィジェットだけ表示できる

下にスワイプするとピン固定したものだけ表示される

ウィジェット表示部分を下にスワイプすると、ピン固定されたウィジェットだけを表示できる。上にスワイプすれば元の状態に戻る。

使いこなし
ヒント
ウィジェットの機能を設定する

ウィジェットによっては、配置後に設定が必要なものがある。時計アプリなら都市の指定、天気アプリなら場所の指定などを行っておこう。ウィジェットの設定画面を表示したい場合は、ウィジェットをロングタップして「ウィジェットを編集」をタップすればいい。

ウィジェットをロングタップ後「ウィジェットを編集」

使いやすくなった
アプリの新デザイン
新しいサイドバーやプルダウンメニューで使い勝手が向上

　iPadOS 14では、標準アプリのインターフェイスも一部刷新されている。最も大きな点は、サイドバーのデザインや表示方法が変更されたことだ。たとえば、横向き時は画面左上のサイドバーボタンで、画面左端にサイドバーを固定表示できるようになった。これにより、素早く目的のフォルダや場所を開いたり、項目をサイドバー上にドラッグ&ドロップしたりが可能だ。また、アプリによってはプルダウンメニューが追加され、各種機能にアクセスしやすくなっている。

新しくなったサイドバーとプルダウンメニュー

タップしてサイドバーを表示

サイドバーのデザインや表示方法が変更され、各種機能にアクセスしやすくなった

ボタンタップでプルダウンメニューが表示され、表示形式を変更できる

横画面での
各種操作が
より快適に!

多くの標準アプリでは、横向き時にサイドバーボタンが表示され、サイドバーの表示／非表示がすぐできるようになった。また、新しいプルダウンメニューも用意され、各種機能が簡単に呼び出せるようになっている。

サイドバー上に項目をドラッグ&ドロップできるように

サイドバー上に項目をドラッグ&ドロップできる

サイドバー表示中は、画面左端に固定表示されるので、項目をサイドバー上にドラッグ&ドロップできるようになった。たとえばファイルアプリの場合、別の場所にファイルをコピーしたいときにこの操作を行えばいい。また、メモアプリの場合、ドラッグ&ドロップでメモのフォルダ分けが行えるようになっている。

サイドバーのプルダウンメニューを表示

サイドバーから各種機能を呼び出す場合も

アプリによっては、サイドバーの上部にボタンが設置され、プルダウンメニューで各種機能にアクセスできるようになっている。左の画像はメモアプリの場合。ここからギャラリー表示やノートの選択といった機能を実行可能だ。

使いこなしヒント

縦画面でサイドバーを表示する場合

画面が縦向きのときは、サイドバーボタンが表示されない。サイドバーを表示したい場合は、従来のように画面左上に表示されている「<」をタップすればいい。ただし、固定表示はできないので、項目のドラッグ&ドロップなどの操作も不可だ。

タップしてサイドバーを表示する

Apple Pencilで
スクリブル操作を行う

手書き文字をテキストに変換できる新機能

　iPadは、Apple純正のペン型デバイス「Apple Pencil」と連携できる点が大きな特徴だ。iPadOS 14では、その特徴をさらに魅力的にする画期的な新機能が搭載された。それが「スクリブル」機能だ。本機能を使えば、Apple Pencilで手書きした文字をテキスト化したり、一定範囲のテキストをペン操作だけで削除したりなどが簡単に行えるようになった。ただし、現時点では英語と中国語のみの対応で、残念ながら日本語には対応していない。とはいえ、英語入力時にはかなり便利なので、ここで操作方法を覚えておこう。

ペンの操作でテキストの入力や編集が可能

Apple Pencilで書いた手書き文字がテキスト化される

ペンで書いた文字がテキストに自動変換！

検索欄などにApple Pencilで手書き文字を書き込むと、すぐにテキストに変換される。このスクリブル操作は、テキスト入力できる場所であればどこでも実行可能だ。英数字での検索キーワード入力時に役立つ。

スクリブル操作でテキストを入力する

1 | Apple Pencilで 手書き文字を入力

ここでは、Safariの検索欄でスクリブル入力を試してみよう。Apple Pencilで上のように手書き入力する。手書き文字は検索欄をはみ出してもOKだ。

2 | 手書き文字が テキスト化される

手書き文字を書き終えると、自動的に文字が認識されてテキストに変換される。英語をキーワードにして検索したいときなどに使うと便利だ。

スクリブル操作でテキストを削除する

1 | テキストを Apple Pencilでこする

スクリブル操作はテキストの削除も可能だ。編集可能なテキストを横や縦方向にこすってみよう。鉛筆でその範囲を雑に塗りつぶすような感覚だ。

2 | こすった範囲の テキストが消える

すると、灰色で選択されている範囲のテキストが削除される。メモアプリなどの場合は、複数行をこすって一気に削除することも可能だ。

使いこなしヒント

スクリブル機能のオン/オフを切り替える

スクリブル機能が使えない場合は、「設定」→「Apple Pencil」→「スクリブル」がオンになっているか確認しよう。なお、「スクリブルを試す」をタップすると、スクリブルの各種操作を試すことができる。はじめて使う人はここで操作を練習しておくといい。

スクリブル操作でテキストを挿入する

1 挿入したい場所を ロングタップして手書き入力

テキストを挿入したい場合は、Apple Pencilで挿入したい場所をロングタップ。灰色の範囲が挿入されるので、そこに手書きで文字を書いてみよう。

2 手書き文字が テキスト化されて挿入される

すると、手書きした文字がテキストに変換され、ロングタップした位置に挿入される。灰色の範囲が表示されているうちは続けて挿入が可能だ。

スクリブル操作でテキストの分離と結合を行う

1 テキスト内に 縦線を入れると分離できる

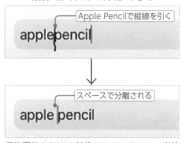

編集可能なテキスト部分にApple Pencilで縦線を引いてみよう。その場所に半角スペースが挿入され、テキストが分離される。

2 スペース部分に縦線を入れると 結合できる

文字と文字の間に入っているスペース部分にApple Pencilで縦線を引いてみよう。スペースが取り除かれ、テキストが結合される。

使いこなし
ヒント

中国語用スクリブルを有効にする

中国語のスクリブル操作を有効にしたい場合は、「設定」→「一般」→「キーボード」→「キーボード」→「新しいキーボードを追加」で「簡体中国語」→「手書き」を追加しておこう。これで中国語だけでなく、一部の漢字も認識されるようになる。

スクリブル操作でテキストを範囲選択する

1 テキストを Apple Pencilで囲む

選択したいテキストを円で囲う

スクリブル操作ではテキストの範囲選択も行える。
編集可能なテキストをApple Pencilを用いて円で
囲ってみよう。すると、その範囲が選択できる。

2 テキストの上に線を 引いても選択できる

選択したいテキストの上に線を引く

Apple Pencilでテキストの上に線を引いても選択
することが可能だ。メモアプリなどで複数行を選択
したいときは、こちらの操作の方が選択しやすい。

メモアプリでスクリブル操作を行う場合は?

> メモアプリでも
> スクリブル操作
> が可能だ

Apple Pencilで書いた手書き文字がテキスト化される

スクリブル用のツールを選択してから手書き文字を書く

メモアプリでスクリブル操作を行う場合は、Apple Pencilでメモ画面の上を描画しよう。スクリブルではなく線
が描画されてしまうときは、表示されているツール一覧から「A」と書かれた一番右のツールを選択すること。
サードパーティ製アプリでもスクリブルに対応しているものがあるのでチェックしてみよう。

より使いやすくなった Siriと検索機能

アプリを使いながらSiriでの検索が可能に

　iPadに話しかけるだけで情報検索やiPad本体の操作が行える「Siri」。iPadOS 14では、Siri起動時の全画面表示が廃止され、画面右下にSiriのマークがコンパクトに表示されるだけになった。これにより、アプリを使いながらSiriを呼び出すことが可能だ。「マップアプリを使いながらSiriで明日の天気を調べる」、「カレンダーアプリを見ながらSiriでリマインダーを登録する」などの操作がよりスムーズに行えるようになっている。また、ホーム画面から呼び出せる検索機能もコンパクトになった。Apple以外の他社製アプリで作成したテキストの文書内検索もここから行えるので、「以前iPadで作成した文書を探したい」といった場合にも使える。

Siriがコンパクトに表示されるようになった

> アプリと同時にSiriが使える

スリープボタンを長押しするとSiriが起動。マップアプリを使いながら現地の天気をSiriで調べる、といったこともスムーズに行える

iPadOS 14では、Siriを起動すると画面右下に小さいSiriのマークが表示されるようになった。従来の全画面表示は廃止され、アプリの画面を表示しながらSiriで検索できるようになっている。

検索画面もコンパクトになっている

ホーム画面で下にスワイプ

コンパクトになった検索画面

ホーム画面の中央から下にスワイプすると検索画面が表示される。iPadOS 14では、検索欄がコンパクトになった。キーワード入力部分は大きくなり、検索がさらにしやすくなっている。

検索機能でキーワード検索を行ってみよう

1 | 検索欄にキーワードを入力する

キーワードを入力して検索

検索欄にキーワードを入力すると、すぐに検索結果が表示される。アプリや連絡先、SafariでのWeb検索など、あらゆるものを検索可能だ。

2 | 他社製アプリの文書内検索も行える

各種アプリ内で保存している
テキスト内検索も行われる

この検索機能では、メモアプリや他社製の文書作成系アプリの文書内検索も行える。これなら目的の文書を素早く検索することが可能だ。

その他の注目したい 新機能をチェックしよう

iPadOS 14で使いこなしたい新機能をまとめて解説

[着信通知がバナー表示になった]

FaceTimeなどの着信がコンパクトに通知される

自分のiPhoneへの着信、FaceTimeと他社製アプリの着信は、コンパクトなバナー表示で通知されるようになった。通知内のボタンで応答もしくは拒否の操作が可能だ。これならアプリ操作中に着信があっても邪魔にならない。

通知があっても作業の邪魔にならない!

各種着信時は、バナー表示で通知されるようになった。緑のボタンで応答が可能だ

従来、着信時には画面全体で着信画面が表示されていたが、iPadOS 14ではバナー表示で通知されるようになった。通知をタップすれば、従来の全画面表示に切り替わる。なお、「設定」→「FaceTime」→「着信」で通知のスタイルをバナーとフルスクリーンで切り替え可能だ。

危険性のあるパスワードを検出

漏洩したパスワードをすぐに変更できるように

iCloudキーチェーンで保存したパスワードに関して、セキュリティ上の問題を検出してくれる機能がさらに強化。漏洩したパスワードや使い回しているパスワードを一覧表示し、該当するWebサイトでパスワードの変更ができるようになった。

1 | 「設定」→「パスワード」を表示する

まずは「設定」→「パスワード」を表示しよう。パスワードに問題がある場合、上のように「セキュリティに関する勧告」が表示されるのでタップする。

2 | 危険性のあるパスワードが一覧表示される

危険性の理由などもわかりやすく説明されているので目を通そう

セキュリティの危険性が見つかったパスワードが一覧表示される。「優先順位:高」のパスワードは、今すぐパスワード変更などの対処が必要だ。

3 | Webサイトのパスワードを変更する

各Webサイトにサインインしてパスワードの再設定をする

「Webサイトのパスワードの変更」をタップすると、該当するWebサイトのサインインページが別画面で表示される。目的のアカウントでサインインして、パスワードの再設定をしておこう。

使いこなしヒント 使わないパスワードを削除したいときは

パスワードを再設定しようと思っても、すでにサービス自体が終了していたり、使っていないパスワードだったりした場合は、iCloudキーチェーンからパスワード自体を削除しておこう。「設定」→「パスワード」で削除したいパスワードをタップして、「パスワードを削除」すればいい。

パスワードを削除

標準メモアプリがより便利に

さまざまな新機能が追加されている

メモアプリではメモリストをピンで固定できるようになった。また、手書きした図形の補正機能など多数の機能も追加された（P46参照）。

1 | メモをピンで固定して一番上に表示できる

メモリストから好きなメモをロングタップして、「メモをピンで固定」を選んでみよう。そのメモがピンで固定され、一番上に表示されるようになる。

2 | 手書きの図形を認識して形を補正してくれる

図形が補正される

Apple Pencilで図形を手書きし、しばらくペンを画面から離さないでいると、図形がキレイな形に補正されるようになった。詳しくはP48で解説している。

28月 日時の設定がしやすくなった

新しいカレンダーピッカーが採用された

カレンダーやリマインダーなどで、日付や時間を指定するインターフェイスが刷新された。目的の日時をスピーディに設定できるようになっている。

1 | 使いやすい新カレンダーピッカー

カレンダー表示で日付を設定できる

カレンダーで新規イベントの日付を設定する際、新しいカレンダーピッカーで日時を直接選べるようになった。左右スワイプでスクロールも可能だ。

2 | 時刻の設定方法も変更された

上下スワイプで時刻を設定

時刻を設定するインターフェイスも変更されている。時間もしくは分数をそれぞれ上下にスワイプすることで、時刻をすぐ設定できるようになった。

デフォルトアプリの設定が可能

好きなアプリをデフォルトに設定できる

メールアドレスやURLをタップしたときに起動するデフォルトのメールおよびブラウザアプリを、他社製のアプリに変更できるようになった。

1 | 設定を開いてアプリの項目を表示

各アプリが本機能に対応していると「デフォルトの〜App」が表示される

「設定」を開いて下にスクロールし、デフォルトに設定したいアプリ名を探してタップ。「デフォルトのブラウザ（メール）App」をタップしよう。

2 | デフォルトに設定したいアプリ名をタップ

デフォルトのブラウザをSafariからChromeに変更できる

デフォルトにしたいアプリ名をタップしたら完了。URLリンクやメールアドレスなどをタップしたときに、そのアプリが起動するようになる。

写真アプリにサイドバーが追加

目的の写真やビデオを見つけやすくなった

サイドバーからメディアタイプも選べる

横向き時にはサイドバーが固定表示できる

写真アプリにサイドバーが追加され、各種ライブラリやメディアタイプ、各種アルバムにすぐアクセスできるようになった。サイドバー上部の「編集」をタップすると、マイアルバムの削除や並び順の変更が可能だ。

チャットをピンで固定できる

よく使うチャットにアクセスしやすくなる

メッセージアプリでよく使うチャットを、チャットリストの一番上にピンで固定することが可能になった。最大9個のチャットをピンで固定できる。

1 メッセージアプリで ピンを編集する

メッセージアプリでよく使うチャットを目立たせたいのであれば、メッセージアプリで右上の「編集」をタップ。「ピンを編集」をタップしよう。

2 チャットが大きなアイコンで 表示される

チャットの横に表示された黄色いピンマークをタップ。すると、そのチャットがピンで固定され、チャットリストの一番上に大きなアイコンで表示される。

アプリの新配布方式「App Clip」

App Storeを介さずにアプリの一部機能を配布できる

小さなアプリを
簡単に
実行できる

App Clipとは、App Storeを介さずに、Webサイトやメッセージ、QRコード、NFCタグなどを利用してアプリの一部機能を配布する機能だ。Webサイトからアプリのお試し機能を入手したり、店頭で決済サービス用のアプリをすぐ入手したりが可能になる。

絵文字のポップオーバーメニューが追加

外部キーボード利用時でも絵文字が入力しやすい

絵文字のポップオーバーメニューが新しく追加された。iPadにハードウエアキーボードを接続しているときでも、絵文字が入力しやすくなっている。

1 | 設定を開いて アプリの項目を表示

ハードウェアキーボードで文字入力中に、画面右下のキーボードボタンをタップ。次に、表示されたボタン一覧から絵文字ボタンをタップする。Apple製の専用キーボードであれば、地球儀キーでキーボードを切り替えて「絵文字」を選んでもよい。

2 | ポップオーバーメニューが 表示される

するとカーソル位置に絵文字のポップオーバーメニューが表示される。これで好きな絵文字を選んで入力することが可能だ。

ボイスメモを フォルダで整理

ボイスメモアプリにもサイドバーが追加された。フォルダ分け機能も搭載され、ボイスメモを整理しやすくなった。

フォルダを作成して ボイスメモを整理しよう

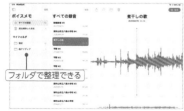

ボイスメモアプリでサイドバーを表示したら、画面下のフォルダ作成ボタンをタップ。マイフォルダを作成しておけば、ボイスメモを種類別に整理できる。

ミー文字に マスクが追加

ミー文字に新しいヘアスタイルや帽子などが追加。昨今の世情を反映してマスクも付けられるようになった。

ミー文字の新しいスタイルを 利用してみよう

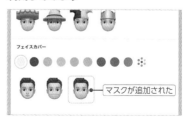

メッセージアプリでミー文字を編集してみよう。選べるスタイルに新しい髪型や帽子、マスクなどが追加されている。

iPadOSの
マルチタスク機能を
マスターする

iPadOSでは、「Split View」や「Slide Over」などのマルチタスク機能が用意されている。うまく使いこなせば、複数のアプリを別のウインドウで表示し、同時に利用することが可能だ。ここでは、マルチタスク機能に関する基本操作や仕事に役立つ活用方法などを紹介していく。

Split Viewで2つのアプリを
同時に利用する

　　Split Viewは、画面を2分割して2つのアプリを同時に操作できるようにする機能だ。なお、2つ目のアプリはDockから呼び出す仕組みなので、あらかじめ一度起動してDock内にアイコンが表示されている状態にしておこう。

1　アプリ起動中に
　　Dockを表示する

画面最下部から少し上にスワイプ

Split Viewでアプリを表示したい場合は、アプリ起動中にDockを表示しよう。Dockは画面最下部から少しだけ上にスワイプすれば表示できる。

2　Dockのアイコンを
　　ロングタップしてドラッグする

ロングタップして画面端にドラッグ&ドロップ

Dock内にあるアプリのアイコンをロングタップ。アイコンが浮いたらDock外にドラッグし、そのまま左右どちらかの画面端にドロップする。

3　Split Viewになり
　　分割表示される

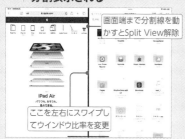

画面端まで分割線を動かすとSplit View解除

ここを左右にスワイプしてウインドウ比率を変更

これでSplit View表示になる。分割線を動かせばウインドウの比率も変更可能だ。Split Viewを解除する場合は、分割線を画面端まで動かそう。

4　Split Viewの表示を
　　左右入れ替える

横線を左右にドラッグ&ドロップ

左右のウインドウの最上部に横線部分を左右にドラッグすることで、左右のウインドウを入れ替えることが可能だ。

Slide Overで別のウインドウに
アプリを表示する

Slide Overは、アプリ起動中に他のアプリを別ウインドウで表示できる機能だ。Slide Overで過去に開いたアプリは記憶されているので、Slide OverのAppスイッチャー機能で簡単に切り替えることができる。

1 アプリ起動中にDockから アイコンをドラッグする

ロングタップして
ドラッグ&ドロップ

アプリ起動中に画面最下部から少しだけ上にスワイプしてDockを表示。そのままDock内のアイコンをロングタップしてDock外にドラッグしよう。

2 画面内で指を離せば Slide Overになる

左右にスワイプしてウインドウの位置を変更。画面右端でさらに右へフリックして一旦外に出すこともできる。右端から左へフリックして再表示可能

アプリ画面内にドロップすると、Slide Overのウインドウが起動。最上部の線を左右スワイプして位置を変更、画面端にスワイプして非表示にできる。

3 過去にSlide Overで 表示したアプリに切り替え

ここを左右にスワイプしてアプリを切り替え

Slide Overウインドウの一番下にある線を左右にスワイプすると、過去にSlide Overで表示したアプリに素早く切り替えることができる。

4 Appスイッチャーで 表示するアプリを切り替え可能

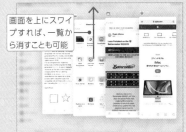

画面を上にスワイプすれば、一覧から消すことも可能

Slide Overウインドウの一番下にある線を上にスワイプすると、Appスイッチャーが起動。過去にSlide Overで表示したアプリが一覧表示される。

Split ViewとSlide Overを
組み合わせて使う

Split ViewとSlide Overは同時に利用することが可能だ。それぞれのウインドウを組み合わせることにより、最大3つのウインドウを1つの画面に表示することができる。いろいろなアプリを組み合わせて使ってみよう。

1 Split View中に Slide Overを使う

Split View中にSlide Overウインドウも表示したい場合は、Dockのアプリアイコンをウインドウの境界線部分にドラッグ&ドロップすればいい。

2 Slide Over中に Split Viewを使う

また、Slide Overウインドウを表示中にSplit Viewを実行したい場合、Dockのアプリアイコンを画面の左右端にドラッグ&ドロップしよう。

3 3つウインドウが 同時に表示できる

3つのアプリを
同時に
使用できる!

これでSplit ViewとSlide Overが同時に表示された。パソコンのように複数のアプリを同時起動できるので、より効率的に作業が行える。

仕事をもっと効率化できる
マルチタスクの便利な操作

　ここでは、仕事の作業で役立ちそうなマルチタスク操作の具体例をいくつか紹介しておこう。Split ViewとSlide Overでは、別々のアプリ間でファイルや写真をドラッグ&ドロップできるようになるのがポイントだ。

1 リンクやファイルなどをドラッグして別のウインドウで開く

Safariでリンクを
ドラッグ&ドロップ

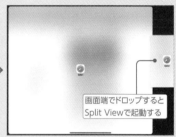

画面端でドロップすると
Split Viewで起動する

リンクやファイルなどをドラッグして、Slide OverやSplit Viewで表示することが可能だ。たとえばSafariでリンクをロングタップ後にドラッグする。

そのまま画面端までドラッグ&ドロップすれば、Split ViewでSafariが起動。リンク先のページを別ウインドウで閲覧できるようになる。

2 ファイルアプリを2つ同時起動してファイルを整理する

ファイルアプリをSplit Viewで2画面表示すると、それぞれの画面で別の場所を開くことができる。さらに、ファイルをドラッグ&ドロップすれば、別の場所へのコピーが簡単に可能だ。ファイル整理時に活用してみよう。

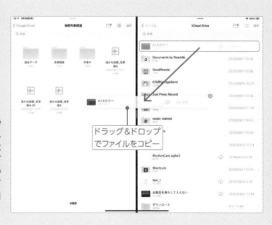

ドラッグ&ドロップ
でファイルをコピー

3 | メモアプリ+写真アプリで画像をドラッグ&ドロップして配置

写真をドラッグ＆ドロップしてメモに配置

メモアプリなどの文書作成アプリを使っている際に、写真アプリをSlide Overで起動。写真アプリから写真をドラッグ&ドロップすると、文書上に写真を配置することができる。この操作は、写真アプリだけでなく、ファイルアプリなどでも同じように操作可能だ。

4 | 選択したテキストを別のアプリにコピーする

テキストを選択してロングタップ

テキストを別のアプリにドラッグ&ドロップ

メールやメモなどのアプリをSplit Viewで表示している場合、選択したテキストもドラッグ&ドロップして別のアプリにコピーすることができる。

テキストをロングタップした後、別のアプリにドラッグ&ドロップすればコピーされる。メールで送られてきた文面をメモにコピーしたいときなどに便利。

使いこなしヒント

Split ViewとSlide Overを切り替えるには?

Split View表示時、ウインドウの最上部にある線を下にドラッグしてみよう。すると、そのウインドウがSlide Over表示に切り替わる。逆に、Slide Overウインドウの最上部にある線を画面左右端にドラッグすると、Split Viewに切り替えが可能だ。

ウインドウ上部の線をドラッグして表示を切り替えられる

マルチタスク機能 ❺

マルチタスクで開いた
アプリごとのウインドウを管理する

　iPadOSでは、マルチタスク機能により、アプリごとに複数のウインドウの状態を保持することが可能になっている。たとえば、Safariであれば、「Apple.comを開いたウインドウ」、「Split ViewでYouTubeを開いたウインドウ」、「Slide OverでYahoo! Japanを開いたウインドウ」など、複数のウインドウがバックグラウンドで保持できるのだ。どのウインドウでアプリを開くかを選択したい場合は、アプリのアイコンをロングタップして「すべてのウインドウを表示」を選べばいい。ウインドウ一覧が表示されるので、開きたいものをタップしよう。

1 アプリをロングタップして「すべてのウインドウを表示」

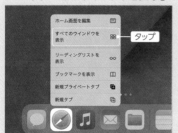

アプリを起動時に、表示するウインドウを選ぶことができる。ホーム画面のアプリアイコンをロングタップして、「すべてのウインドウを表示」をタップしてみよう。なお、複数のウインドウで開いていないアプリの場合、この項目は表示されない。

2 そのアプリで開いているウインドウが一覧表示される

現在開いているウインドウ一覧

現在バックグラウンドで開いているアプリのウインドウが一覧表示される。ここにはSplit ViewやSlide Overで開いているウインドウも含まれる。画面右上の「＋」で新しいウインドウを開くことも可能だ。各ウインドウを上にスワイプすれば削除できる。

使いこなしヒント

Split ViewやSlide Over時に表示するウインドウを選択する

Split ViewやSlide Overでウインドウを表示しようとしたとき、ウインドウの選択画面になることがある。これは、すでにそのアプリで複数のウインドウを開いている場合に発生する。そのときは、表示したいウインドウを選べばいい。

開きたいウインドウを選ぶ

メモと
文章作成
の仕事技

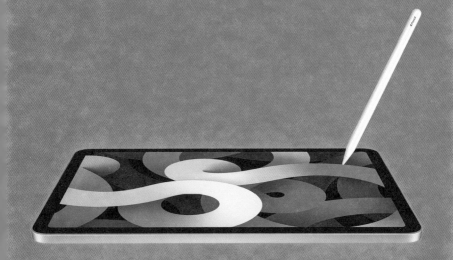

Apple Pencilで快適な
手書き環境を手に入れよう

仕事にも使えるiPad用ペン入力デバイス

　iPadは、ペン入力デバイスと組み合わせることで、手書き文字やスケッチ作成が手軽に可能だ。とはいえ、安価なスタイラスペンを購入すると、ペンの反応が悪かったり、充電方法が面倒だったりなどストレスを感じることが意外と多い。そこでオススメしたいのが、Apple公式のペン入力デバイス「Apple Pencil」だ。iPad向けに作られているだけあって、繊細なタッチにしっかり追随し、描画のレスポンスも非常に良いのが特徴。また、現在最新のApple Pencil（第2世代）では、iPad Proの側面に取り付けるだけでワイヤレス充電が可能となっている点も見逃せない。iPad本体とは別に1万円以上かかるので決して安くはないが、iPadユーザー必携のペン入力デバイスであることは断言できる。「会議の要点を手書きメモで素早く記録し、参加メンバーに共有する」、「文章では伝えづらいイメージをスケッチして取引先にメール送信する」といったビジネスシーンでの活用も、ストレスフリーで行うことが可能だ。

Apple Pencilには2つのモデルが存在する

Apple Pencil
第1世代
価格 10,800円（税別）

第2世代
価格 14,500円（税別）

Apple Pencilの現行モデルは、第1世代と第2世代の2つだ。第2世代では、ワイヤレスの充電方法やダブルタップに対応するTouchサーフェスが新搭載されている。

Apple Pencilの対応機種について

Apple Pencilは、各世代によって対応機種が異なる。第2世代は、2018年以降に発売されたiPad ProとiPad Air（第4世代）でしか使えない。

モデル	対応機種
Apple Pencil 第1世代	iPad（第6、7、8世代）／iPad Air（第3世代） iPad mini（第5世代） iPad Pro 9.7、10.5、12.9（第1、2世代）
Apple Pencil 第2世代	iPad Air（第4世代）／iPad Pro 11（第1、2世代） iPad Pro 12.9（第3、4世代）

Apple Pencilの基本的な機能

筆圧や傾きに対応

Apple Pecilは、ペンでタッチしてから描画されるまでタイムラグが少なく、実際のペンに近い書き心地だ。筆圧によって線の太さを変えたり、ペンの傾きで濃淡を表現したりなどもできる。

ダブルタップでツール切り替え

第2世代のApple Pecilであれば、タップ操作にも対応。ペンを指でダブルタップすると、ツールの切り替えが可能だ。たとえばメモアプリでは、各描画ツールと消しゴムツールの切り替えができる。

ペアリングも
充電も簡単
にできる!

音量ボタンがある側面にくっつける。向きはどちらでもよい

Apple Pencil
100%

第2世代のApple Pencilと対応iPadであれば、本体側面にペンをくっつけるだけで、ペアリングとワイヤレス充電が可能だ。

使いこなし
ヒント

スリープ中にペンで画面をタップして素早くメモを起動

iPadがスリープ中でも、Apple Pencil(第2世代のみ)で画面をタップすると素早くインスタントメモが起動し、手書きメモが書けるようになっている。いちいちスリープボタンを押してロック画面を解除する必要がないので、思い付いたアイディアをすぐ書き留めたい時に便利だ。

ノートアプリの 正しく賢い選び方

用途に合わせて自分にぴったりのアプリを使おう

　日々思い付いたことをメモしたい、ちょっとした文書を作成したい、そんなときに便利なのがノート系アプリだ。代表的なものは、iPadに標準搭載されているメモアプリ。メモ帳代わりにメモを取る用途であれば、この標準メモアプリで十分だ。とはいえ、用途によってはメモアプリだと使い勝手が悪く、「手書きメモがしやすいアプリ」や「テキスト中心で長文を書きやすいアプリ」などを利用したほうが効果的なケースも多い。そこでここでは、ノートアプリの選び方を解説しつつ、定番のノート系アプリをいくつか紹介。それぞれの特徴を簡単に解説していこう。なお、各ノートアプリの詳しい使い方は、45ページ以降で解説していく。

ノートアプリを見極めるポイントは以下の3つ

1 用途に向いた アプリを使おう

レイアウトに凝りたいなら、文字や画像を自由に配置できるアプリを選ぼう

アプリの基本機能をチェックして、自分の用途に合ったものを選ぼう。文字メインでいいなら、テキスト中心のシンプルなエディタ系、画像や表などを自由に配置したいなら、レイアウト機能が充実しているものがおすすめ。

2 同期方法と 対応機種を確認

複数端末で使いたい場合は、クラウド経由でデータを同期できるかどうかもチェックだ。アプリによっては同期に課金が必要だったり、Apple系の端末でしか同期できなかったりする。Windowsでも同期できるアプリは意外と限られる。

3 手書きに対応して いるかどうか

Apple Pencilなどのペン型デバイスを使って、手書きでメモを取りたい場合は、手書き対応のアプリを選ぶ。アプリによっては、手書きした文字をキーワード検索できるものもある。手書き時の書き味もアプリごとに異なるのだ。

本書で紹介しているおもなノートアプリの特徴

標準メモアプリ

→P46

iPad標準のメモアプリ。思い付いたアイディアなどをサッとメモしたいならコレ。Apple Pencilに対応し、手書きメモも描きやすい。iCloud経由で、いろいろな端末と同期して使えるのも魅力だ。

同期方法
iCloud

対応端末
iOS／iPadOS／macOS／Windows／Android

手書き対応
○

※WindowsとAndroidでは、WebブラウザでiCloud.comにアクセスして利用

GoodNotes 5

→P50

手書きメモに特化したノートアプリ。実際のペンとノートのような感覚で、手書きでスラスラとメモを取りたい人におすすめ。手書きで描いた文字を検索したり、手書き文字をテキスト化したりも可能だ。

同期方法
iCloud

対応端末
iOS／iPadOS macOS

手書き対応
○

Microsoft OneNote

→P54

テキストや画像、リンクなど、あらゆる情報をスクラップブック風に貼り付けて整理できるノートアプリ。アイディアを蓄積、整理して、新しい企画のヒントにする、といった用途などに向いている。

同期方法
One Drive

対応端末
iOS／iPadOS／macOS／Windows／Android

手書き対応
○

Notability

→P58

ノートごとに音声を録音できるユニークなノートアプリ。会議やセミナーの議事録を取りたいときなどに重宝する。画像やスタンプなどを自由に配置できるので、見栄えのいい文書を作ることも可能。

同期方法
iCloud

対応端末
iOS／iPadOS

手書き対応
○

Google ドキュメント

→P60

Google製の文書作成サービス。手書きは使わず、テキスト中心のメモやビジネス文書を作りたい人向け。Word感覚で使えるので扱いやすく、他のユーザーと共同編集しやすいのも特徴だ。

同期方法
Google Drive

対応端末
iOS／iPadOS／macOS／Windows／Android

手書き対応
×

Bear

→P62

Markdown記法に対応した高性能なエディタ。シンプルな使い勝手で見やすい文章を作れる。ブログ記事の下書きなどに最適だ。他端末との同期には課金(月額150円)が必要になるので注意。

同期方法
iCloud(App内課金)

対応端末
iOS／iPadOS macOS

手書き対応
○

進化した標準メモアプリに アイデアを書き留めよう

メモアプリはiCloudで同期してパソコンでも活用しよう

　iPad標準の「メモ」アプリは、シンプルで使いやすいクラウド型メモアプリだ。ふと思い浮かんだアイディアを書き留めたり、製品デザインのラフイメージをApple Pencilでスケッチしたり、取材先のお店の写真を貼り付けたりなど、いろいろな情報をサッと記録しておくことができる。メモの内容はiOSやmacOSだけでなく、AndroidやWindowsでもiCloud.com上で確認、編集が可能だ。また、最新のiPadOS 14では、手書き文字をテキストのように選択できるスマートセレクション機能や、手書きの図形を認識してきれいな形に補正する機能などが追加された。より便利になったメモアプリを仕事やプライベートで活用してみよう。

メモアプリの基本機能を理解しておこう

写真やビデオ　オプション

チェックリスト　マークアップ　新規メモ

メモ一覧に戻る

メモアプリは、左のような画面構成になる。画面右上にはチェックリストやマークアップのボタン、キーボードの右上部には表の挿入や書式設定のボタンがある。

書式設定

表の挿入

iCloud経由で メモが同期される

標準のメモアプリで作成した内容は、同じApple IDでサインインしているほかのiOSやmacOS端末でも閲覧・編集が可能だ。

文字を入力して書式設定を行う

1 新規メモを作成して文字を入力する

新規メモを作成する場合は、画面右上のボタンをタップ。空白のメモが作成されるので、画面をタップしてテキストを入力していこう。

2 テキストを選択して書式設定を行う

一部の文字を大きくしたいときや行揃えを変更したいときは、変更したい部分を選択。キーボード右上の書式設定ボタンから設定を行おう。

画像や表を挿入する

1 メモに画像を挿入する

メモに画像を挿入したい場合は、右上のカメラボタンをタップ。「写真またはビデオを選択」からiPad内の写真を選択し、「追加」で挿入が可能だ。

2 メモに表を挿入する

キーボード右上の表ボタンをタップすると表が追加される。各セル内に値を入力していこう。表の「…」をタップすれば、行や列を追加することが可能だ。

マークアップ機能で手書きメモを記入する

1 手書きメモを記入する

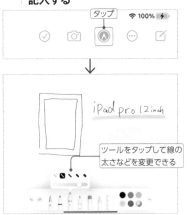

手書きメモを記入したい場合は、マークアップボタンをタップし、各種ツールで描画していこう。Apple Pencilであれば、空白部分で描画すれば、ボタンを押さなくてもそのまま描くことができる。

2 図形認識で図形をきれいな形に整える

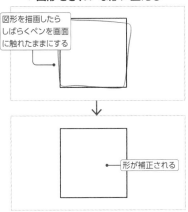

メモアプリでは、線や図形を手書きで描く場合、図形を認識して自動的にきれいな形に補正してくれる。円やハートマーク、星形など、いろいろな図形に対応しているので試してみよう。

3 手書き文字をテキストのように選択できる

手書き文字をロングタップすると、テキストのように範囲選択できる。選択状態のままドラッグして配置を変更したり、コピー&ペーストすることも可能だ。

使いこなし
ヒント

スクリブル機能は英語や中国語でのみ使える

マークアップツールの一番左にあるペンは、スクリブル機能（P22で解説）専用のツールだ。英語や中国語で文字を手書きで書くと、そのままテキストに変換してくれる。残念ながら今のところ日本語には未対応なので、今後のアップデートに期待しよう。

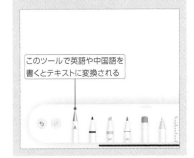

書類をスキャンしてメモに挿入する

1 | カメラボタンから 書類をスキャンする

iPadのカメラを使って、書類をメモ内に取り込むことが可能だ。まずは、カメラボタンをタップして「書類をスキャン」をタップ。

2 | 書類をカメラで 撮影する

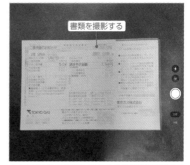

カメラが起動するので、机の上などに書類を載せて画面内に収まるようにしよう。黄色いフレームが表示され、自動的に書類が撮影される。

Apple Pencilでロック画面をタッチする

Apple PencilでiPadのスリープまたはロック画面をタッチすると、即座にメモが起動する。iPadでとっさにメモを書き留めたいときにかなり便利なので、Apple Pencilユーザーは覚えておこう。

最強の手書きメモ環境を実現する GoodNote 5を使ってみよう

Apple Pencilと組み合わせれば快適な手書きノートに

　iPadで本格的な手書きメモ環境を構築したいなら、「GoodNote 5」を導入してみよう。GoodNote 5は、指先やApple Pencil、スタイラスペンなどを使って、手書き文字を快適に書き込めるノートアプリだ。画面をタッチしてから描画されるまでのレスポンスがよく、実際のノートとペンのようにストレスなく使うことができる。また、強力なOCR機能を搭載しており、手書き文字でもキーワード検索することが可能。どこに保存したかわからなくなったメモでも、検索すればすぐに探し出すことができる。これがあれば、もうノートとペンを持ち歩く必要はない。ミーティングやセミナーのノート代わりや、アイディアを書き留めるメモ用ツールとして十分に実用することが可能だ。GoodNote 5は980円の有料アプリだが、iPadを手書きノートとして使いたいのであれば試してみる価値はある。

手書きで文字を書けるデジタルノートアプリ

Apple Pencil
との相性も
抜群！

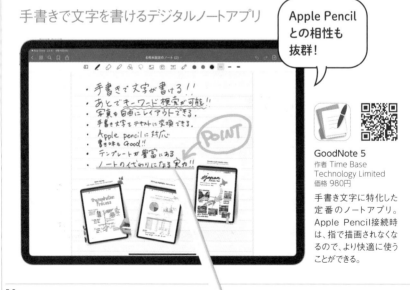

GoodNote 5
作者 Time Base
Technology Limited
価格 980円

手書き文字に特化した定番のノートアプリ。Apple Pencil接続時は、指で描画されなくなるので、より快適に使うことができる。

新規ノートを作成して手書きで文字を書いてみよう

1 | アプリを起動し ノートを新規作成する

GoodNotes 5を起動したら、まずは「+」ボタンをタップ。「ノート」を選択して新規ノートを作成しよう。作成したノートはこの画面で一覧表示される。

2 | 表紙と用紙を テンプレートから設定

ノートの名前を付けたら、表紙と用紙のデザインをテンプレートから選ぼう。テンプレートは横向きと縦向きがあるので、使いやすい向きに決めておくこと。

3 | 手書き文字を 書いてみよう

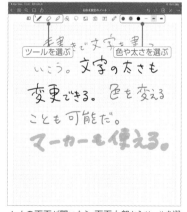

ノートの画面が開いたら、画面上部からツールを選んで実際に手書き文字を書いてみよう。描画する色や太さは画面上部から選択できる。

使いこなしヒント ♪ ページのテンプレートをあとで変更する

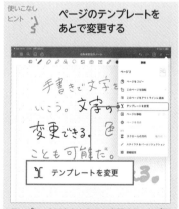

テンプレートはあとからでも変更することが可能だ。ノートを開いた状態で、画面右上の「…」ボタンをタップ。「テンプレートを変更」から適用したいテンプレートを選び直そう。これで現在開いているページのテンプレートが変更される。

ノートに新しいページを追加する

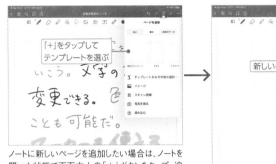

新しいページが追加された

ノートにページを追加していこう!

ノートに新しいページを追加したい場合は、ノートを開いた状態で画面右上の「+」ボタンをタップ。追加したいテンプレートを選ぼう。用紙のテンプレートは、ページごとに変更することができる。

手書き文字をキーワード検索してみよう

1 複数のノートから検索する

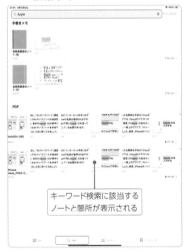

キーワード検索に該当するノートと箇所が表示される

複数のノートをまとめてキーワード検索したい場合は、ノート一覧の画面の最下部にある「検索」をタップ。画面上部の入力欄で検索しよう。

2 開いているノートから検索する

キーワード検索に該当する箇所が表示される

現在開いているノートを検索するには、ノートを開いた状態で画面左上にある虫眼鏡アイコンをタップ。キーワード検索すると、該当箇所が一覧表示される。

手書き文字は投げ縄ツールでテキスト化できる

1 | 投げ縄ツールで手書き文字を囲う

テキスト化したい部分を
投げ縄ツールで囲む

↓

囲んだ部分をタップ
して「変換」を選択

手書き文字をテキスト化することも可能だ。まずは、投げ縄ツールを使って手書き文字を囲う。次に囲んだ部分をタップして「変換」を選択しよう。

2 | 手書き文字がテキスト化される

テキスト化した文字は右上の共有
ボタンから他のアプリに送れる

上のように別ウインドウが表示され、手書き文字がテキスト化される。文字の認識率はなかなか高く、丁寧に書いた文字であれば正確にテキスト化が可能だ。

> PDFを開いて
> 手書きメモを
> 書き込んでみよう!

使いこなし
ヒント

PDFを読み込んで手書きメモを追加する

GoodNote 5では、PDFを開いて手書きメモを追加することが可能だ。メールで送られてきた資料に注釈を入れたい、といったときなどに使おう。なお、あらかじめPDFをiCloud Driveに保存しておけば、GoodNote 5のノート一覧画面から「+」ボタンをタップして、「読み込む」で読み込むことができる。

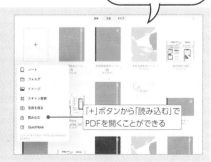

「+」ボタンから「読み込む」で
PDFを開くことができる

あらゆる情報をスクラップブック風に まとめて整理できるノートアプリ

Microsoftの「OneNote」でアイディアの源を蓄えよう

　「OneNote」は、Microsoftが提供している無料のノートアプリだ。テキスト中心のノートアプリとは異なり、さまざまな情報をスクラップブック風に管理できるのが特徴。ノートブックの各ページには、テキスト、画像、オーディオ、表、ファイル、リンクなどの挿入が可能で、それぞれの要素は自由な位置にレイアウトすることができる。ページの大きさには制限がなく、どんどん情報を継ぎ足していけるのも便利だ。企画のアイディアを書き留める、仕事のネタになりそうな情報を貼り付けておくなど、いろいろな用途で活用できる。手書き入力にも対応しており、写真に文字を書き込んだり、ラフスケッチを描いたりなども手軽に可能だ。なお、データは保存作業を行わなくても自動的に「OneDrive(Microsoftのクラウドサービス)」で同期され、他の端末でも利用することができる。

ネタやアイディアをひとつのアプリに集約できる!

プロジェクトの
企画をまとめる
のにも使える!

Microsoft OneNote
作者 Microsoft
Corporation
価格 無料

OneNoteは、iOS端末以外にも、WindowsやMacでも使うことができる。Microsoftアカウントを持っていれば、誰でも無料で利用可能だ。ただし、無料アカウントだとOneDriveで保存できる容量は5GBまでとなる。

新規ページを作成してテキストを入力してみよう

1 アプリを起動して 新規ノートブックなどを作成

タップして階層の一番上に戻る

②ここをタップしてページの編集画面に移動

①ノートブックやセクション、ページを作成する

OneNoteを起動したら、Microsoftアカウントでサインインする。次に一番上の階層まで戻り、ページ下のボタンでノートブックなどを新規作成しよう。右端の空欄をタップしてページの編集画面に移動する。

2 ページのタイトルを決めて 文字を入力していこう

ページタイトルを決める

タップした位置に文字を入力。文字ボックスの上部にある「…」をドラッグすれば位置を変更可能

ページの編集画面になったら、一番上の入力欄をタップしてページに名前を付けておこう。次に「ホーム」タブを開いた状態で、ページの好きな位置をタップ。これでページ上に文字を入力することができる。

使いこなしヒント

ノートブックの階層は 3つに分かれている

OneNoteのノートブックは、いくつかの階層に分かれている。一番上に「ノートブック」があり、次に「セクション」、その下に「ページ」という階層関係だ。ノートブックは、「アイディアメモ」や「日記」といった目的別に分けておくといい。セクションやページも、自分が使いやすいように分類しておこう。

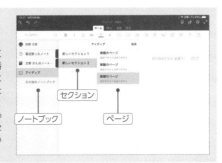

ノートブック / セクション / ページ

ページ中に画像やファイルなどを挿入してみよう

1 「挿入」画面でいろいろなものを挿入できる

①「挿入」タブを表示

③挿入したいものをタップ

②挿入したい場所をタップ

「挿入」タブを開くと、画像やファイル、表、リンクなど、さまざまな情報をページに挿入することができる。ここでは画像を挿入してみよう。

2 挿入する位置や大きさを変更する

画像の位置や大きさを変更

挿入したい画像を選んだら、画像中央のボタンで位置を変更、周りにある■ボタンで大きさを変更できる。好きな位置にレイアウトしよう。

「描画」画面で手書きのメモを残せる

1 「描画」画面を表示してツールを選択

①「描画」タブを表示

②ツールを選択

ページ上に手書きでメモを書き込みたいときは、「描画」タブをタップしよう。画面上部から書き込みに使うツールを選択する。

2 手書きのメモを書き込む

手書きでメモできる

指やApple Pencilなどのペン入力デバイスで書き込んでみよう。描画の各ツールでは、ページのどの位置でも書き込みすることができる。

ノートブックをほかのユーザーと共同編集する

1 | 共有ボタンから開いている ノートブックを共有

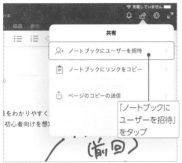

「ノートブックに ユーザーを招待」 をタップ

ノートブックを共有して、ほかのユーザーと共同編集 したい場合は、画面右上の共有ボタンをタップ。 「ノートブックにユーザーを招待」をタップする。

2 | 共有したい相手に 招待メールを送る

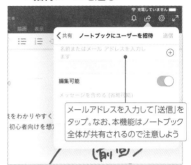

メールアドレスを入力して「送信」を タップ。なお、本機能はノートブック 全体が共有されるので注意しよう

共有する相手のメールアドレスを入力して送信すれ ば、招待メールが送られる。相手がメールに記載さ れたリンクからアクセスすれば共同編集が可能だ。

iPadで作成したデータをパソコンで編集する

パソコンでも OneNoteが 使える!

iPadのOneNoteで作成したデータは、即座にOneDriveに同期される。パソコンなどほかの端末でOneNoteを 開くと、OneDriveから最新のデータが同期され、そのまま編集を再開することが可能だ。WindowsやMac用の OneNoteアプリは、各公式ストアで無償提供されている。なお、Android用のアプリも無料だ。

使いこなし ヒント

Windows版のOneNoteは2つある

Windows用のOneNoteには、標準搭載されてい る無償版の「OneNote」とOffice365などに付属す る有償版の「OneNote 2016」がある。どちらを使っ ても構わないが、無償版の方がシンプルな分、イン ターフェイスが洗練されていて使いやすい。

メモと文章作成の仕事技[6]

録音とメモを紐付けできる
Notabilityで議事録を取る

会議やセミナーの音声を録音してあとで聞くことが可能

　「Notability」は、録音機能が搭載されたメモアプリだ。面白いのは、録音しながらテキストや手書きなどでメモを入力していくと、録音とメモが紐付けされるという点。そのため、音声再生時には、メモを書いている様子がアニメーションで再生される。また、メモをタップすることで、そのメモを入力していたときの音声をすぐに再生可能だ。この機能を活用すれば、会議やセミナーで音声を録音しながら重要なポイントだけをメモしつつ、あとで音声を聞きながら詳細な議事録を作成する、といったこともできる。文書作成アプリとしても高性能で、テキストや画像、スタンプ、手書きメモなどを自由にレイアウトすることが可能だ。作成したメモはiCloud経由で他のiOS／iPadOS端末と同期できる。

会議の様子を録音しながらメモができる!

メモごとに
複数の録音
が可能だ!

Notability
作者 Ginger Labs
価格 無料

テキストや画像などを自由に配置できるメモアプリ。音声録音機能があり、メモを取りながら音声を録音することが可能だ。また、有料のアプリ課金で手書き文字をテキストで検索する機能も追加できる。議事録を1つのアプリで効率よく作成したい人におすすめ。

テキストや画像を
自由にレイアウトできる

58

音声を録音しながらメモを作成してみよう

1 アプリを起動して 新規メモを作成しよう

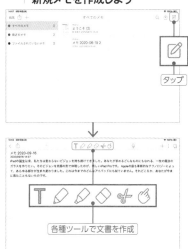

タップ

各種ツールで文書を作成

アプリを起動したら画面右上の新規作成ボタンをタップ。新規メモが作成されるので、上部の各種ツールを使って文書を作成していこう。

2 録音しながら メモしてみよう

タップして録音開始

・メモを取りながら録音ができる

・あとで再生する時にメモをタップすることで 音声のシークが可能

・メモのタイミングと 録音のタイミングが記録されるのが ポイント!!

音声を録音したいときは、メモ画面の上部にあるマイクボタンをタップ。あとは、録音しながらテキストや手書きなどでメモを取っていこう。録音を停止するには、画面上部の停止ボタンをタップ。

3 メモ内で音声を 録音&再生する

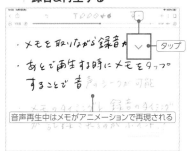

タップ

・メモを取りながら録音か

・あとで再生する時にメモをタップすることで 音声のシークが可能

音声再生中はメモがアニメーションで再現される

音声を再生するには、マイクボタンの横にある「∨」をタップして再生ボタンを押す。音声再生時にはメモ全体が一旦薄い色になり、カラオケの字幕のように、メモを取ったタイミングで色が元に戻っていく。また、メモ自体をタップすると、音声の再生位置もそのタイミングにジャンプ可能だ。

4 メモスイッチャーで 2つのメモを表示

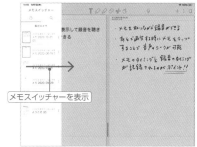

メモスイッチャーを表示

Notabilityには、アプリ内でメモを2つ同時に表示できる機能がある。画面左端から右にスワイプして、メモスイッチャーを表示したら、表示したいメモをドラッグ&ドロップしよう。これで録音時のメモを再生しながら、他のメモでテキスト入力して清書する、といったことも可能になる。

手書きでメモしないなら Googleドキュメントがおすすめ

他のユーザーと共同編集しやすいのもポイント

テキスト入力のみでメモや文書を作成したいなら「Googleドキュメント」を使ってみよう。Googleドキュメントは、クラウド型の文書作成サービスで、Googleアカウントさえあれば無料で使うことができる。iPadだけでなく、iPhoneやAndroid、Windows、Macなど、機種を問わず利用可能なのが特徴だ。これなら思い付いたアイディアをiPadで書きためておき、会社や家のパソコンでしっかりとした企画書を作る、といった運用も手軽に実現できる。Wordと同じような編集機能を備えているため、テキストだけでなく、画像や表などを使った本格的なビジネス文書も作成可能だ。また、同じ文書を他のGoogleアカウントユーザーに共有して、リアルタイムに共同編集できる機能も搭載。Googleアカウントを所持しているユーザーは多いため、気軽に共有して共同作業が行える点も魅力といえる。

Word感覚で使える無料の文書編集アプリ

> テキストでの
> 文書編集なら
> おまかせ！

Google ドキュメント
作者 Google LLC
価格 無料

ちょっとしたメモやビジネス文書の作成などに向いている文書作成アプリ。Wordのような機能を備えており、Word形式のファイルも開ける。

Googleドキュメントの基本的な使い方

1 | Googleドキュメントで 文書を新規作成する

「+」で文書を 新規作成する

Googleドキュメントを起動したら、Googleアカウント でサインイン。文書を新規作成する場合は、一覧 画面の右下にある「+」をタップしよう。

2 | テキストを入力して 文書を作成していこう

太字、斜体、文字色、行揃え などのテキスト関連の機能 はここから操作する

画像や表の挿入、 テキストや段落の 設定はここから行う

テキストや画像、表などを用いて文書を作成してい こう。基本的な機能はWordとほぼ同じなので、 Wordを使い慣れている人なら迷うことはない。

他のユーザーと同じ文書を共同編集する

1 | 共有したい相手に 招待メールを送る

文書を開いた直 後にタップする

文書を他のユーザーと共同編集したい場合は、文 書を開いた直後、右上に表示される共有ボタンを タップして、他のユーザーを招待しよう。

2 | 同じ文書をリアルタイムで 共同編集する

他のユーザーが編集中の場所

招待された他のユーザーは同じ文書を同時に編集 可能だ。他のユーザーの編集中は、色の違うカーソ ルがリアルタイムで表示される。

使いこなし
ヒント

パソコンでGoogleドキュメントを編集する

Googleドキュメントは、パソコンのブラウザからも利 用可能だ。以下のURLにアクセスしよう。

Googleドキュメント
https://docs.google.com/

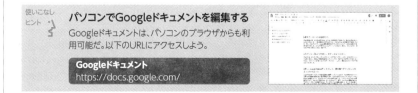

メモと文章作成の仕事技[8]

長文を快適に入力したいなら Bearを使おう

Markdown記法に対応した高性能エディタ

　　自分のブログや自社メディアの取材レポートなど、長い文章をiPadで編集したいなら「Bear」を使ってみよう。本アプリは、Markdown記法に対応した高性能なエディタだ。Markdown記法とは、見出しや太字、箇条書きなどの書式を特定の記号で記述する方法のこと。たとえば、「*iPad*」のようにアスタリスク(*)で囲った部分は太字で表示されるようになる。通常のエディタとは少し作法が異なるが、慣れてしまえば見やすい文章をスピーディに編集することが可能だ。おもなMarkdownはボタンで呼び出せるため、初心者でもすぐに使いこなせるのもポイント。一般的なテキストエディタとして見てもトップクラスに扱いやすいので、Markdown記法をあまり使わない人にもオススメできる。

テキスト、画像、手書きの線画などを挿入できる

Bear
作者 Shiny Frog Ltd.
価格 無料

洗練されたUIで、長文の入力でもストレスなく扱える。画像や手書きの線画なども挿入可能だ。なお、サブスクリプションサービス(Pro版)を別途購入(1ヶ月150円／1年1,500円)すると、iCloudでの同期、PDFやHTML出力などの便利な機能が使えるようになる。

> シンプルで美しいUIが使いやすい！

Bearでの基本的なテキスト入力方法

1 | アプリを起動して画面を切り替えよう

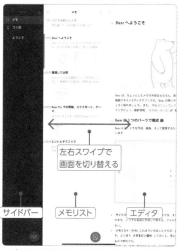

左右スワイプで
画面を切り替える

サイドバー　メモリスト　エディタ

アプリを切り替えたら、画面を左右にスワイプしてみよう。サイドバーやメモリスト、エディタ画面の表示を切り替えることができる。

2 | メモを新規作成してテキストを入力しよう

タップ

メモリストの一番下にある「＋」ボタンをタップし、新規メモを作成。あとはエディタ画面でテキストを入力していこう。テキストの保存は自動で行われる。

3 | テキストに見出しを付けてみよう

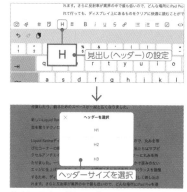

H　見出し（ヘッダー）の設定

ヘッダーを選択

H1
H2
H3

ヘッダーサイズを選択

見出しにしたい行をタップしてカーソルを配置したら、キーボードの上にあるショートカットバーから「H」ボタンをタップ。ヘッダーサイズを設定しよう。

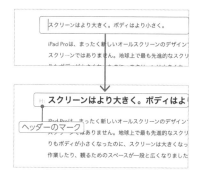

ヘッダーのマーク

見出しに設定した行は、ヘッダーサイズに応じてフォントの太さや大きさが変更される（H1が最大サイズで、H2が中、H3が小サイズとなる）。見出しの先頭には「H1」などと記号が表示され、記号をタップすればヘッダーサイズなどの再設定が可能だ。

ショートカットバーを使いこなそう

Bearを使いこなすのであれば、まずはショートカットバーの各ボタンについて理解しておこう。ここから、画像や線画の挿入、タグの挿入、各種Markdown（太字、斜体、下線、箇条書きなど）の挿入などが行える。

ショートカットバーにある各ボタンの機能

画像／写真
画像や写真を
挿入できる

下線
選択しているテキスト
に下線を付ける

コード（複数行）
複数行のコードを
記述する場合に使う

線画
手書きの線画を
描いて挿入できる

打ち消し線
選択しているテキスト
に打ち消し線を付ける

ハイライト
選択しているテキストを
ハイライト表示する

タグ
タグを設定して、メモを
分類することができる

リンク
WebサイトのURLを入
力してリンクを挿入する

ファイル
ファイルアプリを開いて
ファイルを挿入する

メモへのリンク
ほかのメモへの
リンクを挿入できる

箇条書き（点）
番号なしの箇条書き
書式に設定する

現在の日付
現在の日付や
時間を挿入する

見出し
カーソル行のテキストを
見出しに設定する

箇条書き（番号）
番号ありの箇条書き
書式に設定する

インデント
カーソル行の
インデントを設定する

行区切り線
カーソル行に
行区切り線を挿入する

引用
文章を引用する場合
に使う書式に設定する

行の移動
カーソル行を上下に
移動することができる

太字
選択しているテキストを
太字に設定する

ToDoリスト
行頭にチェックマークを
付けることができる

取り消し
作業の取り消し／やり直
しをボタンで実行できる

斜体
選択しているテキストを
斜体に設定する

コード
文章中にコードを
記述したい場合に使う

カーソル移動
カーソルを上下左右に
移動することができる

Markdown記法を使って文章を読みやすくする

1 選択した文字の書式を太字や斜体などに変更する

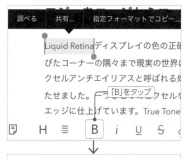

書式を変更するには、文字を選択した状態でショートカットバーの「B（太字）」や「i（斜体）」などのボタンをタップしよう。なお、Markdownの記号を削除すると書式も解除される。

2 箇条書きでリストを見やすくする

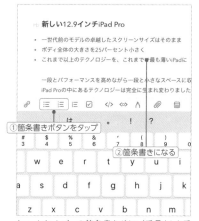

ショートカットバーの箇条書きボタン（番号なしと番号ありのどちらか）をタップすれば、カーソル行を箇条書きにすることができる。項目をリスト化して見やすくしたいときに使おう。

3 インデントで文章の階層構造を作る

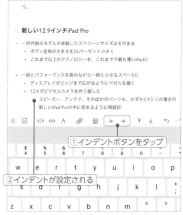

インデントボタンを使えば、文章に階層構造を作ることができる。インデントは箇条書きと組み合わせることも可能だ。

使いこなしヒント：ほかのアプリからテキストなどを取り込む

メモアプリなどのテキストエディタ系アプリで編集していた文書を、Bear側に送りたいときは、共有ボタンや「コピーを送信」機能からBearを選択すればいい。なお、Safariの場合は、保存画面で「Webページのコンテンツ」を選ぶことで、そのページのテキストと画像だけを抜き出すことができる。

画像や手書きの線画を挿入する

1 メモに画像を挿入する

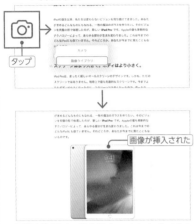

タップ

画像が挿入された

画像を挿入したい場合は、ショートカットバーからカメラアイコンをタップ。「画像ライブラリ」から画像を選択すれば、カーソル位置に画像が挿入される。

2 手書きの線画を挿入する

タップ

色や太さを選択

描画ツールを選択

ショートカットバーの線画ボタンをタップすると、手書きの描画モードに切り替わる。書き終えたら左上の「×」ボタンをタップ。線画がメモに挿入される。

タグ機能でメモを分類してみよう

1 メモにタグを設定しておこう

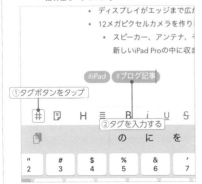

①タグボタンをタップ

②タグを入力する

ショートカットバーの「#」ボタンをタップすると、メモにタグを設定できる。タグは複数設定してもOK。分類しやすいようにメモごとに設定しておこう。

2 タグの付いたメモはサイドバーから呼び出せる

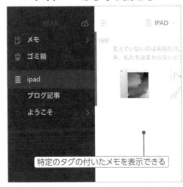

特定のタグの付いたメモを表示できる

メモにタグを設定すると、サイドバーからアクセスできるようになる。タグをタップすると、そのタグ付きのメモがメモリストに表示される仕組みだ。

覚えておくと便利なBearの機能

1 | メモの文字数や読書時間を表示する

エディタ画面の右上にある「i」ボタンをタップすると、メモ全体の文字数や読書時間が表示される。ブログ記事の下書きをする際の目安にしよう。

2 | ToDoリストを使ってタスク管理が行える

ショートカットバーのToDoボタンを利用すれば、タスクリストをチェックマークで管理できる。ToDo付きのメモは、メモリストに進捗状況が表示される。

3 | メモをピン止めしてアクセスしやすくする

メモリストの項目を左にスワイプし、「上にピン留め」をタップしてみよう。そのメモがリストの一番上に固定され、アクセスしやすくなる。

4 | タグにアイコンを設定してわかりやすくする

サイドバーのタグをロングタップして「タグアイコンの変更」を選択。好きなアイコンを設定しておけば、タグを見た目でもわかりやすくできる。

使いこなしヒント

フォントの見た目を変更する

エディタ画面のフォントやフォントサイズを変更したい場合は、サイドバーの下にある設定ボタンをタップ。「エディタ」→「タイポグラフィ」を選択しよう。フォントやフォントサイズのほか、行の高さや行の幅、段落間隔などを設定することができる。

文章を手書きで校正したいなら PDF化しよう

マークアップ機能で修正指示を入れてPDF化しよう

　取引先から送られてきたテキストやWebサイトのテストページなどに、手書きで修正指示を入れたい場合、マークアップ機能を使うのがオススメ。たとえば、テキストを校正するなら、送られてきたテキストを一旦コピーしておき、メモアプリの新規メモに貼り付けよう。画面右上の「…」ボタンから「コピーを送信」→「マークアップ」を実行すれば、Apple Pencilで直接校正を書き込むことが可能だ。マークアップで編集したデータはPDF化されるため、そのまま取引先にメール送信できる。また、Webサイトに修正指示を入れるなら、Safariで該当のWebページを開き、共有ボタンから「マークアップ」を選べばいい。なお、WordやExcelなど一部のアプリは、開いたファイルをPDFとして直接出力することが可能。「PDF Expert」などのアプリを使えば、PDFに手書きで修正指示を入れられる（P144参照）。

1 ｜ メモアプリからマークアップ機能を呼び出す

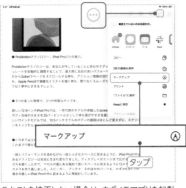

テキストを校正したい場合は、まずメモアプリを起動しよう。新規メモを作成し、校正したいテキスト全体を貼り付けておく。次に、画面右上の「…」ボタンから「コピーを送信」→「マークアップ」をタップする。

2 ｜ マークアップ機能で校正する

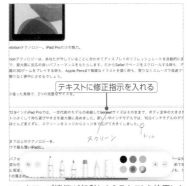

マークアップ機能が起動したらテキストを校正しよう。マークアップで編集したデータは自動でPDF化されている。あとは、「完了」でファイルに保存したり、共有ボタンからメール送信したりが可能だ。

1行の文字数を設定できる
エディタアプリ

決まった行数で文章を書いていきたい場合に最適

　企業の広報誌や機関の情報誌など、紙媒体向けの文章を作成する場合、一定の文字数以内に文章を収めるように原稿を作成することが多い。紙媒体では、掲載する文章の文字数があらかじめ決まっていることがほとんどだからだ。また、媒体によっては、「1行32文字で10行分の文章を書いてほしい」といったように、1行の文字数と行数を指定されることもある。そんなときは、「iライターズLite」を使ってみよう。各種設定からフォントサイズと行幅を調整すれば、1行の文字数を設定することが可能だ。そのほかにも、縦書き表示への切り替え、マス目の表示、独自の日本語辞書機能など、文章作成に特化した機能が用意されている。さらに、有料版（400円）の「iライターズ」では、文字数カウントや正規表現での検索／置換などにも対応。プロ向けの機能を利用することができる。

1 | フォントの種類や大きさなどを設定する

iライターズLite
作者 LIGHT,WAY.
価格 無料

アプリ右上にある「A」ボタンをタップすれば、フォントの種類や大きさ、行間などを設定することができる。使いやすい状態に設定しておこう。

2 | 行幅を調整して1行の文字数を決める

画面右下の「△」マークをタップして、「行幅」のスライダーを調整してみよう。フォントサイズとの兼ね合いで、1行の文字数を調節することができる。

ユーザ辞書を使いこなして 文字入力を効率化しよう

よく使う定型文や固有名詞などを辞書に登録する

　iPadOSには、「ユーザ辞書」という機能が搭載されている。これは、文字入力時の予測変換に表示される単語を自分で辞書登録しておける機能だ。このユーザ辞書では、変換しにくい単語を「よみ」とセットで登録しておくの基本。単語以外の長い文章も登録できるので、メールの挨拶文などを登録しておくことも可能だ。たとえば、単語に「よろしくお願いいたします」、よみに「よろ」と辞書登録しておけば、メール入力時に「よろ」と入力するだけで、すぐさま「よろしくお願いいたします」に変換できるようになる。なお、ユーザ辞書はiPhoneなどほかのiOS端末と同期が可能だ（iCloud Driveがオンになっている必要がある）。

よく使う「単語」と「よみ」を登録しよう

| 単語 | 雲母坂 | ◀— 辞書に登録する単語や文章を入力 |
| よみ | きららざか | ◀— 単語に変換させる「よみ」を入力 |

単語を登録しておくと、そのよみを入力した際に登録した単語が変換候補に表示されます。

ユーザ辞書は、「単語」と「よみ」をセットで登録する。具体的な設定方法は、右ページの解説をチェックだ。

ユーザ辞書の単語とよみの登録例

登録例	単語	よみ
メールアドレス	xxxxx@xxxxx.com	めーる
よく使う固有名詞	株式会社●●●●プランニング	かいしゃ
変換できない名前	希星	きらら
メールの挨拶文1	いつも大変お世話になっております。株式会社●●の●●です。	いつおせ
メールの挨拶文2	お忙しいところ大変恐縮ですが、何卒よろしくお願いいたします。	おいそが

よく使うメールアドレスや固有名詞、挨拶文なども辞書登録しておけば、効率的な文章入力が行える。

ユーザ辞書を登録してみよう

1 | ユーザ辞書の設定画面を表示する

単語を新規登録

ユーザ辞書を登録するには、まず「設定」→「一般」→「キーボード」→「ユーザ辞書」をタップ。画面右上の「+」ボタンをタップしよう。

2 | 単語とよみを登録する

単語とよみを入力して「保存」をタップ

単語の登録画面になるので、「単語」に登録したい単語や文章、「よみ」にその単語のよみを入力する。「保存」で単語の辞書登録が完了だ。

3 | 予測変換から読み出してみよう

よみを入力後、予測変換候補をタップして入力

よろしくお願いいたします

メールアプリなどを起動したら、単語登録したよみを文字入力する。予測変換候補に登録した単語が表示されるので、タップして入力しよう。

使いこなしヒント

ユーザ辞書から単語を削除する

左にスワイプして「削除」をタップ

ユーザ辞書から単語を削除するには、「設定」→「一般」→「キーボード」→「ユーザ辞書」をタップして、単語一覧画面を表示。削除したい単語を左にスワイプすると、赤い「削除」ボタンが表示されるのでタップしよう。

定型文やクリップボードを駆使して文章作成を効率化

メールの挨拶文やよく使う文章を素早く呼び出す

　簡単な定型文であれば、iPadOS標準の機能である「ユーザ辞書」を活用することで登録および入力が可能だ（P70参照）。ただし、登録する定型文の数が多い場合は、専用のアプリを使ったほうがいい。「Phraseboard Keyboard」は、よく使う定型文を複数登録して、文字入力時にキーボードから呼び出すことができるアプリだ。定型文は「仕事」や「家族」などのカテゴリで分類でき、複数行の長い文章も登録することができる。取引先に送るメールの挨拶文や署名、SNSやLINEでよく入力する文章、Webサイトの登録フォーム用の住所や電話番号などを定型文として登録しておくと便利だ。なお、「セキュア」カテゴリではパスコードで定型文をロックすることが可能。個人情報が含まれる定型文は、このカテゴリ内に登録しておくことで安全に使うことができる。

キーボードから定型文を呼び出せるようになる

Phraseboard Keyboard
作者 Daniel Soffer
価格 250円

本アプリはキーボードとして機能し、文字入力中に定型文を呼び出すことができる。どんなアプリでも定型文が使えるようになるので便利だ。メールの挨拶文やよく使う文章を登録して、テキスト入力を効率化しよう。

よく使う定型文を登録してすぐ入力可能

キーボード設定を行って定型文入力を行う

1 | 設定からキーボードとフルアクセスを有効にする

両方オンにする

まずは「設定」→「Phraseboard Keyboard」→「キーボード」を開き、「Phraseboar」をオンにする。「フルアクセスを許可」もオンにしておこう。

2 | アプリを起動して定型文を追加しておく

定型文をカテゴリごとに設定しておく

Phraseboard Keyboardのアプリを起動したら、よく使う定型文を追加しておこう。定型文はカテゴリごとに複数登録することができる。

3 | キーボードから定型文を呼び出せる

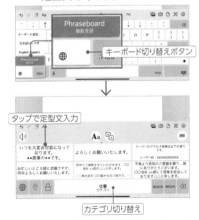

キーボード切り替えボタン

タップで定型文入力

カテゴリ切り替え

文字入力時に、キーボード切り替えボタンをロングタップ。「Phraseboard Keyboard」に切り替えれば、定型文を呼び出すことができる。

使いこなしヒント

有料の拡張機能の画面が表示されたら?

アプリ起動時などに各種有料サブスクリプションサービスの案内が表示されるが、特に必要ない人は左上の「×」ボタンで閉じよう。無課金でも基本機能は使うことができる。

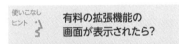

「×」ボタンで課金画面を閉じる

長文の編集、再構成には Split Viewを利用しよう

2つのアプリを起動してテキストをドラッグ&ドロップする

　iPadには、「Split View」という機能が搭載されており、2つのアプリを2分割した画面で同時に操作することが可能だ。これを利用すれば、たとえば「Googleドキュメントで下書きした文章を、Bear（P62参照）で編集および再構成して整える」といった作業がスムーズに行える。また、Split View表示時は、2つの画面間でドラッグ&ドロップによるテキストのコピー&ペーストが可能だ。うまく活用すれば、スピーディに文章を再編集できるので試してみよう。なお、最新のiPadOSに最適化されているアプリであれば、同じアプリでも2画面で起動できる。標準のメモアプリやBearなどのテキストエディタをSplit Viewで2つ起動すれば、それぞれの画面で別々の文書を表示し、テキストを再編集することができるのだ。

Split Viewで2つのアプリを同時に起動する

2分割画面で長い文章を再編集する

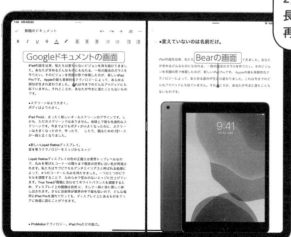

Split View機能を使えば、アプリを2画面に分割して操作することができる。これは、パソコンで複数のウィンドウを並べて作業する感覚に近い。文章を再編集する際に役立つので覚えておこう。

Split Viewでアプリを起動してテキストを再編集する

1 | Split Viewで2つのアプリを表示する

1つ目のアプリを起動したら、画面最下部から少しだけ上にスワイプしてDockを表示。Split Viewで表示したい2つ目のアプリをDockから選び、アイコンをロングタップしてから画面端にドラッグ&ドロップする

画面最下部から少しだけ上にスワイプ

2 | テキストをドラッグ&ドロップして再編集する

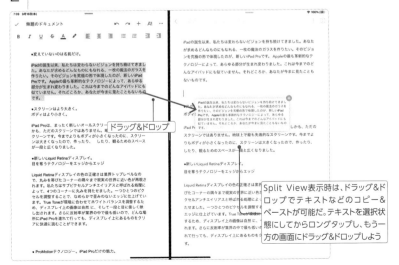

ドラッグ&ドロップ

Split View表示時は、ドラッグ&ドロップでテキストなどのコピー&ペーストが可能だ。テキストを選択状態にしてからロングタップし、もう一方の画面にドラッグ&ドロップしよう

Pagesのスマート注釈機能で一歩進んだ文章校正を

Pagesなら文章の校正と修正がスムーズにできる

Appleの文書作成アプリ「Pages」では、「スマート注釈」という機能が搭載されている。この機能を使うと、文章中に手書きで注釈を入れられるだけでなく、文章の変更に対して注釈の位置が常に追随するようになる。具体的にどういう機能なのかは下で詳しく解説しているのでチェックしてほしい。たとえば、通常の校正作業だと、「エディタアプリで文章作成」→「文章をPDF化して手書き対応アプリで校正」→「エディタアプリで文章を修正」といった流れになることが多い。しかし、Pagesのスマート注釈機能を使えば、校正の際にいちいちPDF化する必要もなく、修正時に別のエディタアプリを使う必要もなくなるのだ。文章作成自体は普段使っているメモアプリなど行い、校正と修正作業に関してはPagesにテキストを移行して作業するといった使い方もオススメだ。

文章を変更しても注釈の位置が追随してくれる

1 | スマート注釈機能で手書きの注釈を入れる

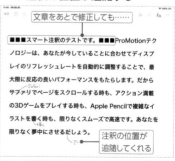

ProMotionテクノロジーは、あなたが今していることに合わせてディスプレイのリフレッシュレートを自動的に調整することで、最大限に反応の良いパフォーマンスをもたらします。だからサファリでページをスクロールする時も、アクション満載の3Dゲームをプレイする時も、Apple Pencilで複雑なイラストを書く時も、限りなくスムーズで高速です。あなたを限りなく夢中にさせるだしょう。

Apple Pencilなどで注釈を入れる

上図は、Pagesのスマート注釈機能を使って、手書きの注釈を入れたもの。書き終えた文章を校正したいときに使える機能だ。文章の誤字脱字などを発見したら、その部分に注釈を入れよう。

2 | 文章を変更すると注釈の位置が追随する

文章をあとで修正しても……

■■■スマート注釈のテストです。■■■ProMotionテクノロジーは、あなたが今していることに合わせてディスプレイのリフレッシュレートを自動的に調整することで、最大限に反応の良いパフォーマンスをもたらします。だからサファリでページをスクロールする時も、アクション満載の3Dゲームをプレイする時も、Apple Pencilで複雑なイラストを書く時も、限りなくスムーズで高速です。あなたを限りなく夢中にさせるだしょう。

注釈の位置が追随してくれる

スマート注釈機能が優れているのは、注釈を入れた状態で文章を修正すると、注釈の位置が文章の変更に追随してくれるという点。これにより、文章の校正と修正を1つのアプリで完結できるのだ。

メモアプリで作成したテキストをPagesで校正してみよう

1 | メモアプリで作成した テキストをファイルに保存する

メモアプリでテキストを作成している場合は、「…」ボタン→「コピー送信」→「"ファイル"に保存」を選択。iCloud Driveなど好きな場所にテキストファイルを保存しよう。

2 | Pagesでテキストを開いて 「スマート注釈」を起動

Pagesを起動したら、手順1で保存したテキストファイルを開く。画面右上の「…」ボタンからオプションメニューを開き、「スマート注釈」をタップする。もしくは、Apple Pencilでいきなり注釈を入れてもいい。

3 | 手書きの注釈を 入れていこう

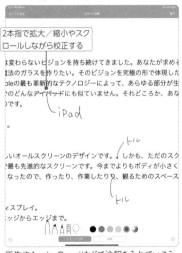

指先やApple Pencilなどで注釈を入れていこう。文章の校正が終わったら、そのままPagesで修正作業も行う。注釈を消すには、タップして「削除」を選択すればいい。

使いこなし
ヒント

スマート注釈における 注釈の入れ方のコツ

す。Appleの最も革新的なテクノロでのどんなアイパッドにも似ていまのです。

赤く光った部分が注釈と関連付けられた文字

す。Appleの最も革新的なテクノロでのどんなアイパッドにも似ていまのです。 iPad

スマート注釈では、文字と注釈を関連付ける必要がある。上図は、「アイパッド」に打ち消し線や引き出し線を入れて「iPad」に修正するという注釈を入れた例だ。注釈を入れた直後、文字の周りが一瞬赤くなるが、その赤い範囲が注釈と関連付けられた文字であることを示している。うまく関連付けができていないと、文字を修正したときに追随しなくなるので注意しよう。コツとしては、「文字に絡めるように打ち消し線や引き出し線を入れる」、「線や文字などは離しすぎない」、「注釈入力に時間をかけすぎない」の3つを守ればうまくいくはずだ。

Siriに音声で指示して
スピーディにメモを取る

簡単なメモを音声入力だけで保存できる

日々生活していると、「資料に使う写真はB案にする」、「明日、出社したらAさんに電話する」など、ちょっとした要件や覚えておきたい事柄などをサッとメモしたいときがある。その際、iPadでメモアプリを起動し、メモの内容をキーボードで入力する……というのは、ちょっと面倒だ。そこでオススメしたいのが、Siriを使った音声入力によるメモ機能。まずは、「設定」アプリで「"Hey Siri"を聞き取る」をオンにしておこう。あとは、iPadに「Hey Siri」と話しかけてメモする内容を伝える。たとえば、「シャンプーを買うとメモ」と伝えれば、標準のメモアプリでメモを残してくれるのだ。また、「設定」→「Siriと検索」→「ロック中にSiriを許可」がオンになっていれば、離れた場所にあるiPadでも音声だけでメモできるので便利。

「Hey Siri」でメモする内容を話しかける

1 Hey Siriの機能を 有効にしておこう

まずは「設定」アプリの「Siriと検索」をタップ。「"Hey Siri"を聞き取る」がオフになっていれば、オンにして必要な設定を済ませておこう。

2 Siriを起動して メモする内容を伝える

iPadに「Hey Siri、シャンプーを買うとメモ」と話しかける

iPadに「Hey Siri」と話しかけるとSiriが起動。「シャンプーを買うとメモ」などと伝えれば、その内容が標準のメモアプリで保存される。また、他社製のアプリでメモを取りたいときは、「Hey Siri、XXX（アプリ名）でメモ」と話しかけてから内容を伝えよう。

メモと文章作成の仕事技[16]

手書き入力した文章を
即座に翻訳する

Google翻訳なら手書き入力のテキストを翻訳できる

　日本語や英語など、さまざまな言語に対応した翻訳アプリ「Google翻訳」。実は、テキスト入力による翻訳だけでなく、手書き入力の文章をリアルタイムに翻訳することもできる。アプリを起動したら、翻訳したい言語を設定して「手書き入力」ボタンをタップしよう。手書きで文章を入力すると、すぐさまテキストに変換され、設定された言語での翻訳文が表示されるのだ。キーボード入力よりも直感的に操作できるので、外国人とのコミュニケーションもスムーズに行える。

Google翻訳で手書き入力機能を使う

1 アプリを起動して「手書き入力」をタップ

Google 翻訳
作者 Google LLC
価格 無料

翻訳する言語を設定

手書き入力

Google翻訳アプリを起動したら、一番上の設定エリアで翻訳する言語を設定する。次に「手書き入力」ボタンをタップしよう。

2 手書きの文章が翻訳される

翻訳文が表示される

手書き入力する

画面の下に手書き入力のエリアが表示されるので、指先やApple Pencilで入力。自動的にテキストに変換され、リアルタイムに翻訳されていく。

79

書類をOCRアプリで
テキスト化する

カメラ撮影するだけで書類のテキスト化が可能

　印刷された書類や本などをテキスト化したい場合、OCRアプリを使うといい。「ClipOCR」は、カメラで撮影した書類の文字を読み取り、テキストデータに変換するアプリだ。人工知能によって高精度の文字認識機能を実現し、縦書きや手書き文字の読み取りにも対応しているので使いやすい。なお、文字をコピーできない一部のPDFやWebサイトなどをテキスト化したいときにも役立つ。PDFやWebサイトのスクリーンショットを撮影して画像化した後、このアプリで読み取ってみよう。

ClipOCRで撮影した書類をテキスト化する

1 アプリを起動して書類の写真を撮影

ClipOCR
作者 Mitsuhiro Hashimoto
価格 無料

タップ

書類の写真を撮影する

アプリを起動したら、画面左上のカメラアイコンをタップ。取り込みたい書類の写真を撮影して保存しよう。書類はできるだけ真上から撮影すると良い。

2 画像を選択してOCRを実行する

テキスト化したい画像をタップ

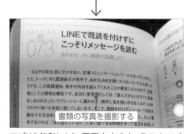
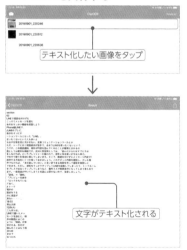

文字がテキスト化される

取り込んだ画像が一覧表示されるので、テキスト化したい画像をタップ。すると画像内にある文字がOCR機能でテキスト化される。

文字入力
の仕事技

長文入力も苦にならない
専用キーボードを使ってみよう
自分のiPadで使えるキーボードを選ぼう

　iPadは画面が広い分、表示されるソフトウェアキーボードもサイズが大きくて入力しやすい。iPhoneの小さなキーボードに比べれば、文字入力はかなり快適に行える。とは言っても、キーボードが表示されると画面の半分近くが隠れてしまうし、平置きでの文字入力は姿勢が疲れて、あまり長文入力には向いてない。また、画面をタッチするソフトウェアキーボードは誤入力も増えがちだ。iPadを書類作成やメール作業で使う事が多いなら、やはり外部キーボードがあった方が作業は楽だ。Apple純正のiPad専用キーボードとしては、「iPad用Magic Keyboard」「Smart Keyboard Folio」「Smart Keyboard」の3種類が用意されている。専用に設計されたキーボードなので、電源もペアリングも不要で使え、磁石だけで簡単に着脱できるなど、使い勝手は折り紙付きだ。それぞれのモデルで機能が違うだけでなく、対応するiPadの機種も違うので、自分のiPadに合ったモデルを選ぼう。また同じキーボードでも、iPadのサイズ違いによって対応製品が異なる。購入時にはよく確認しよう。

iPad専用キーボードの種類

Magic Keyboard
対応モデル
iPad Air（第4世代）
12.9インチiPad Pro（第3、4世代）
11インチiPad Pro（第1、2世代）

価格
31,800円、37,800円（税別）

Smart Keyboard Folio
対応モデル
iPad Air（第4世代）
12.9インチiPad Pro（第3、4世代）
11インチiPad Pro（第1、2世代）

価格
19,800円、22,800円（税別）

Smart Keyboard
対応モデル
iPad（第7、8世代）
iPad Air（第3世代）
10.5インチiPad Pro

価格
16,800円（税別）

iPad用Magic Keyboardの特徴

トラックパッド付きキーボードの便利な点は、iPadの画面をタッチ操作したい時に、いちいちキーボードから手を離さずに済むところ。トラックパッドに手を置くと画面上にカーソルが表示され、これをドラッグして画面をタップできるので、iPadの操作が手元で完結する。また複数の指を使えば、ロングタップメニューを表示したり、ホーム画面に戻ったり、アプリを切り替えることも可能だ

角度は最大130度まで調整できる

少し浮いた状態でiPadを接続し、無段階で最大130度まで傾きを調整できる。またヒンジ部には、iPad充電専用のUSB Type-C端子を搭載する。

トラックパッドやバックライトを搭載

キーボード下部にはトラックパッドが搭載されており、トラックパッドに対応したiPadOSでの作業がはかどる。またバックライトを内蔵するほか、キーストロークも1mmあって打ちやすい。

表面と背面を守る保護カバーにもなる

表面と背面を保護するカバーにもなる。ただしSmart Keyboard Folioのように、付けたままでキーボード部を背面に折り畳んで使うことはできない。

1 | ペアリング不要の ワンタッチ着脱

両方の端子を合わせるだけ

Bluetoothキーボードと違って、iPad専用キーボードはペアリングも電源も不要となっている。iPadの本体にある小さなコネクタを、iPad専用キーボードのコネクタと磁石で吸着するだけで利用できる。

2 | 豊富なショート カットが便利

[Command]+[H]を押してホーム画面に戻る

iPadでも、[Command]や[Control]、[Option]キーを使えるのは大きな魅力だ。これらのキーを使ったキーボードショートカットを覚えておけば、テキスト入力時などの作業効率が格段にアップするはずだ。ショートカットについてはP86で詳しく解説している。

3 | ロックの解除も スマート

カバーを開くだけでロックを解除できる

Face ID対応のiPadで使っているなら、ロック解除も非常にスマート。カバーを開くか、何かキーを押すとスリープから復帰し、そのままFace IDによりすぐロックが解除される。さらに何かキーを押すだけでホーム画面が開く。

4 | ソフトウェア キーボードも使える

右下のキーボードボタンをタップして、さらにこのボタンをタップ。右下のキーボードボタンが表示されない場合はキーボードの下矢印を押す

アクセント記号付きの文字を入力したり、音声認識を使いたい場合など、ソフトウェアキーボードを使ったほうが便利なシーンもある。文字入力画面の右下に表示される、キーボードボタンをタップして表示しよう。

ここまで紹介したように、Apple純正のiPad専用キーボードは非常に洗練された製品だが、いかんせん高い。特にトラックパッド付きのMagic Keyboardは3万円以上もする。また、古いモデルのiPadにはそもそも対応していない。もっと手頃な価格でiPad向けのキーボードを使いたいなら、サードパーティー製のiPad対応キーボードに目を向けてみよう。Bluetooth接続で、Magic Keyboardの対応モデル以外でもトラックパッドを使えるサンワダイレクトの製品は、5,000円以下と価格もお手頃。また、トラックパッドが不要なら、軽量でコンパクトなAnkerのBluetoothキーボードがオススメだ。

サードパーティー製のiPad向けおすすめキーボード

Magic Keyboard非対応のiPadでもトラックパッドを使いたい場合は、お手頃価格で気軽に試しやすいこのBluetoothキーボードがおすすめ。3台の機器をワンタッチで切り替えできる、マルチペアリング機能も搭載している。

サンワダイレクト
タッチパッド付きBluetooth
キーボード 400-SKB066
実勢価格／4,980円(税込)

Anker
ウルトラスリム
Bluetooth ワイヤレス
キーボード
実税価格 2,200円(税込)

iPadOS、iOS、Android、Mac、Windowsとマルチデバイスに対応する、軽量コンパクトなキーボード。ただしUSキーボードなので、日本語キーボードとは少しキー配列が違う点に注意。

仕事効率をアップする
専用キーボードのショートカット

iPad専用キーボードをもっと便利に使いこなそう

　せっかくiPad専用キーボードを使うなら、ショートカットキーも使いこなして仕事の能率アップを図りたい。「command ＋ C」でコピーしたり、「command ＋ V」でペーストするといった、パソコンでも定番のショートカットキーに加えて、「command ＋ H」でホーム画面に戻るなど、iPadならではのショートカットキーも利用できる。また、Safariやメールなど主要なアプリにも、それぞれ個別のショートカットキーが割り当てられている。特にSafariは、iPadOS 13で大量のショートカットキーが追加されたが、これらのショートカットキーをすべて覚えておく必要はない。「command」キーを長押することで、今の画面やアプリで使える主なショートカットキーを一覧表示できるのだ。ショートカットキーに迷ったら、とりあえずcommandキーを長押し、と覚えておこう。

commandキー長押しでショートカットを表示

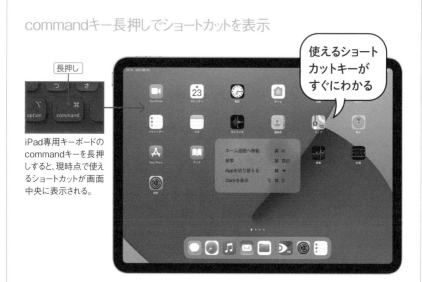

[長押し]

iPad専用キーボードのcommandキーを長押しすると、現時点で使えるショートカットが画面中央に表示される。

使えるショートカットキーがすぐにわかる

全画面で共通のショートカット

ショートカット	動作
command + H	ホーム画面に戻る
command + Tab	アプリの切り替え画面を表示
command + スペース	Spotlight検索

テキスト入力時などの共通ショートカット

ショートカット	動作
command + C	コピー
command + X	切り取り
command + V	貼り付け
command + Z	取り消し
command + A	全選択
command + Delete	行頭からカーソル位置まで削除
command + ↑	カーソルを先頭に移動
command + ↓	カーソルを末尾に移動
command + ←	カーソルを左端に移動
command + →	カーソルを右端に移動

メモアプリでの主なショートカット

ショートカット	動作
command + B	ボールド
command + I	イタリック
command + U	アンダーライン
Shift + command + T	タイトル
Shift + command + H	見出し
Shift + command + B	本文
Shift + command + L	チェックリスト
command + N	新規メモ
command + F	メモで検索

Safariでの主なショートカット

ショートカット	動作
command + R	ページを再読み込み
command + F	ページを検索
command + G	次を検索
Shift + command + G	前を検索
command + T	新規タブ
control + TAB	次のタブを表示
Shift + control + TAB	前のタブを表示

メールでの主なショートカット

ショートカット	動作
command + N	新規メッセージ
command + R	返信
Shift + command + R	全員に返信
Shift + command + F	転送
Shift + command + J	迷惑メールにする
Shift + command + L	フラグ
control + command + A	メッセージをアーカイブ

カレンダーでの主なショートカット

ショートカット	動作
command + N	新規イベント
command + F	検索
command + T	今日を表示
command + R	カレンダーを更新
command + 1	日表示に切り替え
command + 2	週表示に切り替え
command + 3	月表示に切り替え
command + 4	年表示に切り替え

持ち歩かないならMac用Magic Keyboard+スタンドがおすすめ

じっくりテキスト入力するためのベストな組み合わせ

iPad専用キーボードは本体のカバーも兼ねているので、iPadを普段持ち歩くならベストな製品だ。ただし、パソコンの一般的なキーボードに比べると、キーストロークが浅く打鍵感も軽いので、じっくり長文を入力するとどうしても疲れてしまう。もし、iPadを会社や自宅に置きっぱなしで持ち歩かないのであれば、キーボードはApple純正の（iPad専用ではない）「Magic Keyboard」を使うのも一つの手だ。Mac用に販売されているキーボードではあるが、Bluetooth接続なので、iPadやiPhoneでも問題なく利用できる。iPad専用キーボードよりも打鍵感がしっかり感じられ、一度ペアリングを済ませれば、キーボードの電源を入れるだけで自動的に接続されるので、手間もかからない。タブレットスタンドを組み合わせて使えば、iPadでも快適な文字入力環境を実現できる。価格が9,800円と、iPad専用キーボードに比べると手を出しやすいのも魅力だ。もちろんショートカットキーも利用できる。

Magic KeyboardをiPadに接続する

接続設定は
最初の1回だけ！

タップして接続

Magic Keyboardの電源を入れたら、iPadの「設定」を開いて「Bluetooth」をタップ。一覧の下の方にキーボード名が表示されるので、タップすれば自動的にペアリングされて接続される。

Magic Keyboardとタブレットスタンドを用意しよう

Apple
Magic Keyboard - 日本語（JIS）
実勢価格 9,800円（税別）

Apple純正のワイヤレスキーボード。Lightningケーブルで充電することができ、1回の充電で1カ月は駆動可能だ。

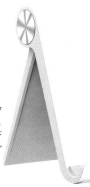

UGREEN
タブレットスタンド
実勢価格 1,080円（税込）

折りたたみが可能なコンパクトな卓上タブレットスタンド。iPadを立てかけて、キーボードを接続すれば、ノートパソコンのように使える。

使いこなし
ヒント
キーボードは自分の使いやすいものでもOK
もし、Magic Keyboard以外にお気に入りのキーボードがある場合は、それをiPadに接続して使ってもOK。キー配列がMac用であれば、たいていのキーボードがそのまま利用できる。USBキーボードでも変換アダプターを介せば接続可能だ。

Apple Pencilを使って
手書きで文字入力

手書き文字をテキスト変換できるキーボードアプリ

iPadの画面で文字入力がし辛いなら外部キーボードを使う方法もあるが、そもそもキーボードによるタイピングが苦手という人は、手書き入力を試してみよう。iPadには最高の手書き入力ツール「Apple Pencil」がある。Apple Pencilなら、ノートにペンで書くのと同じ感覚で、会議中のメモなどを素早く書き留めておける。ただ、手書き入力のメモをそのまま保存しても、あとからメモをキーワード検索したり、他人に読みやすい形で共有するといった、仕事書類として活用できない。そこで、手書きで入力した文字をテキストに変換してくれるキーボードアプリ、「mazec」とあわせて利用しよう。mazecの文字の認識率はかなり高く、少々の乱筆やクセ字でもしっかりテキスト変換してくれる。誤認識された文字の修正や再変換といった機能も豊富だ。

mazecの初期設定を行う

1 | mazecを新しいキーボードとして追加する

mazecをインストールしたら、「設定」→「一般」→「キーボード」→「キーボード」→「新しいキーボードを追加」→「mazec」をタップして追加。さらに、「設定」→「一般」→「キーボード」→「mazec」をタップして、「フルアクセスを許可」をオンにしておこう。

2 | キーボードからmazecを呼び出す

mazecを利用する際は、文字入力できる場所をタップしてキーボードを表示しよう。地球儀ボタンを数回タップ、またはロングタップして切り替えが可能だ。

mazec
作者 MetaMoJi Corporation
価格 1,100円

mazecで手書き文字を日本語変換する

1 Apple Pencilを使ってmazecで文字入力する

手書きでスラスラ変換できる

手書き入力した文字が予測変換される

キーボードをmazecに切り替えたら、ペンで文字を書いてみよう。すぐに日本語として認識され、予測変換欄に表示される。予測変換候補をタップするか、キーボード右下の「return」をタップすれば変換確定だ。

2 区切りが誤認識されたら文字間隔を調整する

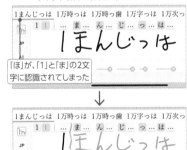

「ほ」が、「1」と「ま」の2文字に認識されてしまった

↓

ロングタップ後、左へドラッグして間隔を調整する

文字の区切りが間違って認識されたら、調整したい場所をロングタップし、ギザギザの区切り線を左右にドラッグ操作して文字の間隔を調整してみよう。

3 「…」をタップして別の変換候補を選び直す

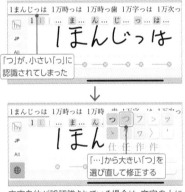

「つ」が、小さい「っ」に認識されてしまった

↓

「…」から大きい「つ」を選び直して修正する

文字自体が誤認識されている場合は、文字の上に表示される「…」をタップ。別の変換候補を選び直してみよう。

「Apple Pencilで手書き」を設定する

mazecは、普通の指でも反応するため、ペン入力しているときに指が画面に当たって誤動作することがある。Apple Pencilを使っていて指の反応を無効にしたいときは、mazecのアプリを起動して、「設定」→「Apple Pencil」→「Apple Pencilで手書き」をオンにしておこう。

覚えておくと便利な
文字入力の機能と操作

iPadの文字入力を快適にするためのテクニック

　iPadのソフトウェアキーボードでは、パソコンのようにショートカットキーを使って操作を短縮することはできない。代わりに、面倒な操作を簡単に行えるようになる、さまざまな便利機能が用意されている。例えば、テキストの誤字はいちいち削除してから入力し直さなくても、選択するだけで他の候補に変換できる。カーソルの位置をうまく合わせられなくてイライラしている人は、カーソルを拡大すれば、好きな位置にスムーズに移動させることができる。iPhoneのフリック入力に慣れているなら、iPadのキーボードもフリック入力モードに切り替えて使うと便利だ。これらのテクニックを知っているか知らないかで、iPadでの作業効率はずいぶん変わってくるので、ぜひ覚えておこう。

文字は確定後でも再変換できる

入力し直さなくてもOK

入力確定後に見つけた誤字は、一度削除して入力し直さなくても再変換ができる。まず誤字の部分をロングタップして選択状態にしよう。すると、キーボード上部に他の変換候補が表示される。正しい変換候補をタップすれば、選択した文字が再変換される。

長文の途中で一度変換させる

1 | 変換を区切りたい箇所をタップ

区切りたい位置にカーソルを合わせる

長文を入力していておかしな変換になった時は、センテンスごとに区切って変換すればよい。まず変換を区切りたい箇所をタップしてカーソルを合わせる。

2 | 区切った箇所までを変換できる

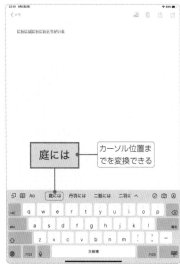

カーソル位置までを変換できる

すると、タップした箇所までを一つの文章として、変換候補が表示される。このように細かく区切って変換していけば、正しい漢字に変換できる。

日付や時刻を素早く入力する方法

数字の入力だけで、変換候補から日付や時刻を選択できる

日付や時刻を入力したいなら、いちいち数字や記号の入力モードを切り替えながら入力する必要はない。日本語キーボードで「915」と入力するだけで、9時15分、9/15、9月15日などが変換候補に表示される。

ドラッグ&ドロップでテキストを移動、別アプリにコピー

1 テキストを選択してロングタップ

ロングタップしてドラッグできる

2 そのまま別のアプリにもコピーできる

ドラッグして指で押さえたまま少し動かし、別の指で他のアプリを起動して貼り付ける

テキストを選択してロングタップすると、テキストが浮かび上がり、そのまま指でドラッグ&ドロップすれば、好きな位置に移動できる。メニューからカット&ペーストで操作するよりも楽だ。

ロングタップしたテキストは、さらに別アプリにもコピーできる。他の指でホーム画面に戻り、テキストを貼り付けたい別のアプリを起動したら、貼り付けたい位置にドラッグして指を離そう。

カーソルをスイスイ動かすテクニック

1 カーソルをドラッグして拡大する

カーソルをタップしたまま上か下に少しドラッグすると、指に隠れることなく拡大表示されたカーソルを操作できる

2 2本指でカーソルを高速に動かす

画面上のどこでもいいので2本指でタップしてカーソルを動かす

カーソルはドラッグすると、大きく見やすく表示されてスムーズに移動できる。この時、一度上か下にドラッグするのがポイント。カーソルは必ず指より少し上に表示されるので、カーソルが指に隠れることなく操作できる。

画面上に2本の指を置いてドラッグしても、カーソルが拡大表示されスムーズに動かせる。カーソルを直接ドラッグするより、こちらの方がより高速にカーソルを動かせるので、使い分けて操作しよう。

フリック入力をiPadでも利用する

1 キーボードの画面を ピンチインする

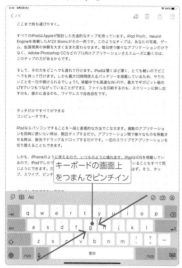

iPadでもフリック入力を使いたいなら、あらかじめ「日本語―かな」キーボードを追加した上で、キーボードの画面上をピンチインしよう。

2 日本語―かなに 切り替える

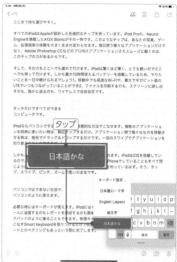

iPhoneのような小さい「フローティングキーボード」に変わる。続けて、地球儀ボタンをタップして「日本語―かな」キーボードに切り替えよう。

3

フリック入力が 可能になった

これで、iPadでもフリック入力できるようになった。下のバーをドラッグして、片手で入力しやすい場所に配置しよう。元のフルキーボードに戻るには、キーボードの画面上をピンチアウトすればよい。

複数回タップで文章を効率よく選択する

単語や文章、段落は簡単に選択できる

　iPadで文章を選択する方法としては、カーソルをタップして表示される編集メニューから「選択」をタップし、左右端のカーソルをドラッグして選択範囲を調整するのが基本だ。文章の一部だけを選択したい時はこの方法でいいのだが、選択する範囲が単語や文章、あるいは段落ごとであれば、もっと素早く選択する方法があるので覚えておこう。まず文章を2回タップすると、タップした位置の単語を範囲選択できる。3回タップすると、タップした文字を含む文章を範囲選択できる（原稿執筆時点では段落選択になってしまう不具合がある）。4回タップすると、タップした文字を含む段落を範囲選択できる。これらの操作は「メモ」アプリなどで利用できるが、アプリによっては対応していないこともあるので注意しよう。

2回〜4回タップで選択できる範囲の違い

2回タップで単語を選択

文章内の単語だけを素早く選択したい場合は、2回タップしよう。タップした位置の単語が範囲選択される。

3回タップで文章を選択

句点（。）で区切られた文章を選択したい場合は、3回タップしよう。タップした文字を含む文章が範囲選択される。

4回タップで段落を選択

段落ごとひとまとめに選択したい場合は、4回タップしよう。タップした文字を含む段落が範囲選択される。

3本指ジェスチャーで
文章を素早く編集する

コピーやペースト、取り消しも簡単

　iPadで入力した文章をコピーしたりペーストしたい時は、カーソル位置をタップするか文字を選択した時に上部に表示される、編集メニューから操作するのが基本だ。しかし3本指を使ったジェスチャーを使えば、より素早く簡単に、文字のコピーやペースト、取り消し、やり直しといった操作を行える。特に従来の取り消し操作は、重いiPad本体を振って「取り消す」ボタンを表示させるという、あまり実用的でないジェスチャーしか用意されていなかったので、3本指のジェスチャーさえ知っていれば、取り消しが格段に楽になる。

コピー&カット
3本指で1回つまむようにピンチインすると、選択した文字をコピーする。2回連続ピンチインでカット。

ペースト
3本指で広げるようにピンチアウトすると、コピーした文字を貼り付けできる。

取り消し
3本指で左にスワイプすると、直前の編集操作を取り消して元の文章に戻る。

やり直し
誤って取り消した場合は、3本指で右にスワイプすると、取り消しをキャンセルしてやり直せる。

長文入力にも利用できる
高精度の音声入力機能
キーボードより高速で入力することも可能

　iPadでのタイピングが苦手という人は、手書き入力だけでなく、音声入力の快適さもぜひ知ってもらいたい。やたらと人間臭い反応を返してくれる「Siri」の性能を見れば分かる通り、これまでのバージョンアップで培われた技術によって、iPadOSの音声認識はかなり精度が高くなっている。喋った内容はリアルタイムでテキストに変換してくれるし、自分の声をうまく認識しない事もほとんどない。メッセージの簡単な返信や、ちょっとしたメモに便利なだけでなく、長文入力にも十分対応できる実用的な機能なのだ。端末に話しかけるという行為には少々気恥ずかしさがあるだろうが、会社や人前で音声入力を使わなくても、自宅や出張先のホテルでの作業に限定すれば何も問題ない。ただし、音声で句読点や記号を入力するには、それぞれに対応したワードを声に出す必要がある。また、音声入力時は変換候補から選択できないし、削除やコピー&ペーストといった操作もできない。このあたりは少し慣れが必要だ。

iPadで音声入力を利用するには

1 | 設定で「音声入力」をオンにしておく

まず「設定」→「一般」→「キーボード」をタップして開き、「音声入力」のスイッチをオンにしておこう。

2 | マイクボタンをタップする

キーボードにマイクボタンが表示されるようになるので、これをタップすれば、音声入力モードになる。

音声入力の画面と基本的な使い方

音声でテキストを入力していこう

マイクに話しかけると、ほぼリアルタイムでテキストが入力される。句読点や主な記号の入力方法は下にまとめている。

句読点や記号を音声入力するには

読み		記号
かいぎょう	→	改行
たぶきー	→	スペース
てん	→	、
まる	→	。
かぎかっこ	→	「
かぎかっことじ	→	」
びっくりまーく	→	！
はてな	→	？
なかぐろ	→	・
さんてんリーダ	→	…
どっと	→	.
あっと	→	@
ころん	→	:
えんきごう	→	\
すらっしゅ	→	/
こめじるし	→	※

キーボード画面に戻るには

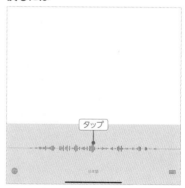

タップ

元のキーボード入力画面に戻るには、音声入力の画面内を一度タップするか、右下のキーボードボタンをタップすればよい。

使いこなしヒント

iPadではGoogle音声入力が使えない

以前はキーボードアプリ「Gboard」を使うことで、iPadでもGoogle音声入力を利用できたのだが、原稿執筆時点ではマイクボタンが消え使えなくなっている。またGoogle音声入力だと、句読点や改行を音声入力できないので、どちらにしてもiPadOS標準の音声入力を使ったほうが便利だ。

誤入力された文字を再変換する

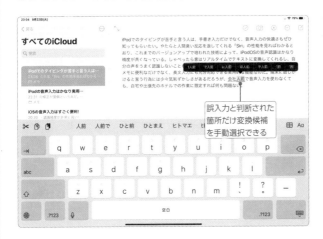

音声入力を終えて一度キーボード画面に戻ると、誤入力と判断された箇所に青いラインが引かれる。これをタップすると、複数の候補から選択して、再変換できる。

誤入力と判断された箇所だけ変換候補を手動選択できる

連絡先を音声入力の辞書代わりに使う裏技

1 連絡先アプリで性とフリガナを入力

ここでは、メールアドレスの読みを「ジタクメール」にする

音声入力時は自分で変換候補を選べず、ユーザ辞書に登録した単語も反映されない。そこで連絡先アプリを使った裏技がおすすめ。まずは「性」に単語、「性（フリガナ）」に読みを入力しよう。

2 音声入力で連絡先の単語に変換される

「ジタクメール」と話すとメールアドレスが入力される

音声入力で、「性（フリガナ）」に入力した読みを話すと、「性」の単語に変換されるようになる。

音声入力の言語を追加する

1 | キーボードを追加しておく

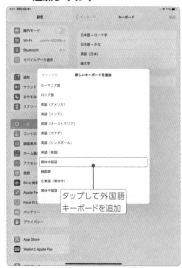

タップして外国語キーボードを追加

日本語以外の言語で音声入力したい場合は、まず「設定」→「一般」→「キーボード」→「キーボード」で、「新しいキーボードを追加」をタップし、追加したい国の言語をタップしよう。

2 | 音声入力言語を追加する

音声入力に使う言語にチェックしておく

続けて「設定」→「一般」→「キーボード」→「音声入力言語」をタップ。キーボードを追加済みで音声入力にも対応している言語が表示されるので、音声入力に使いたい言語をチェックしておこう。

音声入力を外国語の発音チェックに使う

音声入力言語に外国語を追加していると、音声入力画面の左下にある地球儀ボタンをタップすることで、音声入力言語を切り替えることができる。例えば英語キーボードに切り替えれば、英語で話しかけて英文入力が可能だ。ただし発音が正確でないと、正しい文章を入力してくれない。これを利用して、外国語の発音トレーニングに利用しよう。

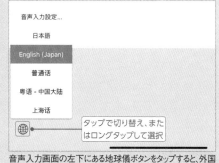

タップで切り替え、またはロングタップして選択

音声入力画面の左下にある地球儀ボタンをタップすると、外国語の音声入力モードに切り替えできる。発音が正しくないと正しい文章が入力できず、句読点などもその言語での入力が必要。

文字入力の仕事技［　9　］

音声入力の文章をリアルタイムにキーボードで修正

Googleドキュメントを使った最速編集テクニック

　iPadの音声入力はかなり実用的なレベルで使えるようになっているが、不満がないわけではない。最も不便に感じるのは、音声入力だと文章の修正が面倒という点だ。文章を考えながらテキストに起こす時は、どうしても文章をいったん消して書き直すことが増えるし、テキストの入れ替えや、コピー&ペーストといった操作も多用する。もちろん誤字脱字も、気付いた特にすぐ修正したいもの。このようなちょっとした編集作業が、音声入力では行えないのだ。文字を修正するには、いちいちキーボードに切り替える必要があり、そのキーボード上での編集作業も、あまり快適とは言い難い。iPadでの音声入力は、せっかく考えたことをすぐテキスト化できるリアルタイム性に優れているのに、考えをまとめて整理するための編集能力が弱い。しかし、そんな不満点をすべて解消してくれる、素晴らしい使い方がある。それが、「Googleドキュメント」を利用した、iPadとパソコンの連携技だ。まず、iPadのGoogleドキュメントアプリと、パソコンのブラウザの両方で、同じGoogleドキュメントのファイルを開こう。この状態でiPadの音声入力を使い、Googleドキュメントに文章を入力していくと、ほとんど間をおかず、パソコンの画面にも同じ文章が表示されていくはずだ。つまり、iPadではテキストを音声入力しながら、パソコンの画面上で入力された文字を即座に修正できるのだ。この連携技は、そもそもパソコンを持っていないと使えないのと、パソコンの画面にテキストが表示されるまで若干タイムラグが発生するといった欠点はあるが、長文入力も苦にならない音声入力の快適さを損なわずに、人力ミスした文章も素早く修正できてストレスを感じさせない。この方法を使えば、音声入力の問題はほぼすべて解消すると言っても過言ではないので、特にiPadで書類を作成したり記事を書いたりといった機会が多い人は、ぜひ試してみることをおすすめする。

iPadで音声入力した文章をパソコンで修正する

1 Googleドキュメントで音声入力する

Googleドキュメント
作者 Google LLC
価格 無料

iPad側では、「Google
ドキュメント」アプリを起
動してGoogleアカウン
トでログイン。新規ド
キュメントを作成して、
音声入力でテキストを
入力していこう。

2 同じドキュメントをパソコンで開いて修正

音声入力の誤変換はパソコンの画面ですぐに修正できる

パソコン側では、ブラウザでGoogleドキュメント（https://docs.google.com/document/）にアクセスし、同じGoogleアカウントでログイン。iPadで作成したドキュメントを開くと、音声入力したテキストがリアルタイムに表示される。入力ミスや誤変換はパソコンの画面で修正しよう。iPad側の画面にもすぐに修正が反映される。

3 | 必ず誤変換される単語はまとめて置換

メニューの「編集」→「検索と置換」で、「検索」に音声入力の誤字、「次に変更」に変換する文字を入力し、「すべて置換」をクリックすれば、まとめて修正できる

iPadの音声入力は変換候補から選択できないため、誤変換の学習もできず、同じ単語が常に同じように誤変換されてしまう。このように誤変換されることが分かっている単語は、パソコンのGoogleドキュメントの置換機能を使って、一気に文字を置換してしまったほうが早い。

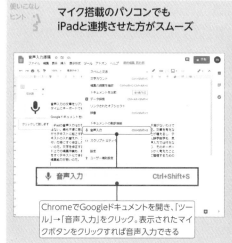

使いこなしヒント
マイク搭載のパソコンでもiPadと連携させた方がスムーズ

ChromeでGoogleドキュメントを開き、「ツール」→「音声入力」をクリック。表示されたマイクボタンをクリックすれば音声入力できる

マイクによる音声入力環境があるなら、iPadを使わなくてもパソコン単体で音声入力のリアルタイム修正が可能だ。WindowsでもMacでも、ChromeブラウザでGoogleドキュメントにアクセスすることで、Google音声入力が使えるのだ。Google音声入力は音声で句読点や改行を入力できないが、音声入力と同時にキーボードでも入力できる仕様になっている。このため、マイクを使って音声入力しながら、句読点・改行の入力や、誤字脱字の修正もリアルタイムで行える。iPadOSの音声入力と比べて、日本語の認識精度も遜色ない。ただし、パソコンやマイクの環境によって異なる場合もあるが、変換が確定するまでの反応がやや悪い。P102から解説しているように、iPadとパソコンのGoogleドキュメントアプリと連携させた方が、スムーズに音声入力できる。

オフィス
文書
の仕事技

オフィス文書を扱う際は
どのアプリを使うべきか?

用途に応じてオフィスアプリを使い分けてみよう

　iPadOSでは、MicrosoftやGoogle、Appleといった3大企業のオフィスアプリ（下記表参照）が利用できる。普段仕事でMicrosoftのOfficeを扱っている人は、基本的にMicrosoftのオフィスアプリを導入しておけば間違いない。ただ、用途によってはGoogleやAppleのオフィスアプリを使う方が効果的な場合もある。そこで本記事では、各アプリの特徴やそれぞれのメリット・デメリット、用途に応じたアプリの使い分け方などを簡単に紹介していこう。

iPadで扱える3大企業のオフィスアプリ

	Microsoft	Google	Apple
文書作成	Microsoft Word	Google ドキュメント	Pages
表計算	Microsoft Excel	Google スプレッドシート	Numbers
スライド作成	Microsoft PowerPoint	Google スライド	Keynote
メリット／デメリット	◎ パソコン版Officeとの互換性が高い ◎ OneDriveでファイルを同期できる × 機種によっては無料だと編集機能が使えない	◎ 誰でも無料で使え、端末の種類も問わない ◎ ファイル共有や共同作業機能は最も優秀 × 複雑なレイアウトの書類などは作りづらい	◎ iPadに最適化されているので使いやすい ◎ 見栄えのするレイアウトを作りやすい × ほかのオフィスアプリとの互換性が低い
概要	普段Microsoftのオフィスアプリを使っている人向け。OneDriveが使えるので、Windowsとの相性も良い	どんな環境でも汎用的に使えるのが魅力。複数のユーザーでファイルを共同編集したいときにも便利だ	iPadでリリッと見栄えのよい書類を簡単に作れるのが特徴。Apple製品だけあって、iPadでも使いやすい

「オフィスアプリなんてどれを使っても同じ」、「Microsoft系のアプリがあれば十分」というのは大きな間違いだ。詳しくは次ページから解説していくが、それぞれの特徴を踏まえつつ、用途ごとに使い分けてみよう。

Microsoft製オフィスアプリの特徴

　WordやExcel、PowerPointのファイルを、iPadでも閲覧および編集したいという人は、Microsoft純正のアプリを使うのがベスト。他社製のオフィスアプリでは互換性が低いため、取引先とファイルをやり取りする目的に使うのはかなり危険だ。なお、Microsoftのオフィスアプリは、10.1インチ以下の画面を搭載した端末であれば無料で使えるが、それ以上の端末（iPad Proなど）だと有料の「Microsoft 365」に加入しないと編集機能が使えないので注意したい。

Microsoft Word
作者 Microsoft Corporation
価格 無料

文書作成アプリとして最も有名なWord。iPadアプリでは、マクロの実行など一部の機能を除き、パソコン版とほぼ同じ機能が使える。Officeの互換フォントが導入されるので、パソコン版と見た目が大幅に変わることも少ない。

Microsoft Excel
作者 Microsoft Corporation
価格 無料

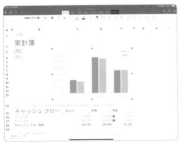

数式や関数、グラフなど、パソコン版のExcelにある主要機能はほぼ搭載。ピボットテーブルやワードアートなど一部機能は表示のみの対応となる。

Microsoft PowerPoint
作者 Microsoft Corporation
価格 無料

スライドの作成や再生を行うアプリ。企画書作成などで使っている人も多い。iPadアプリなら、互換性も高く、パソコンのファイルをそのまま開ける。

　Googleドキュメントやスプレッドシートなどは、Googleアカウントさえあれば、誰でも無料で使うことができるという強みがある。また、ファイルはGoogleドライブ経由で自動で同期され、どんな端末でもシームレスに利用可能というのも特徴だ。書類を他人と共有したり、チームメンバーと共同編集したりも簡単。AI機能で書類に最適な画像やグラフを提案してくれる「データ探索」など、他のオフィスアプリにはない先進的な機能も搭載されている。

Google ドキュメント
作者 Google LLC
価格 無料

Googleの文書作成アプリ。Wordと同じような感覚で、テキストや画像のレイアウトができる。iPad版アプリの場合、文字中心のシンプルな書類を作るのに向いている。

Google スプレッドシート
作者 Google LLC
価格 無料

表計算アプリ。Excelと同じようにグラフや関数なども扱える。チームメンバーでデータ入力や確認を共同で作業するといった用途に最適。

Googleスライド
作者 Google LLC
価格 無料

スライド作成アプリ。これに関しては、PowerPointやKeynoteのほうが便利なので、あまり使うメリットはないかもしれない。

Apple製オフィスアプリの特徴

　Apple製のオフィスアプリは、AppleがiPad用に最適化しているだけあって、最も直感的に編集作業が行える。iPadOS標準の「ファイル」アプリとの連動も完璧で、iCloud Driveや他社のクラウドサービス上にある画像をすぐに貼り付けることが可能だ（他社のオフィスアプリだと、iPad内の画像しか読み込めない）。また、レイアウトの自由度が高く、書類を見栄え良く仕上げやすいのも特徴。iPadだけで企画書やプレゼン資料をサッと作りたいなら、おすすめのアプリだ。ただし、他のオフィスアプリとの互換性が低いので、取引先とのやりとりには向かない。

Pages
作者 Apple
価格 無料

Appleの文書作成アプリ。凝ったレイアウトの書類を作りたいときに最適。写真をファイルアプリから取り込めるのも便利だ。

Numbers
作者 Apple
価格 無料

表計算アプリ。表をオブジェクトとして扱うため、自由なレイアウトができる。ただ、独特な仕様なので、ほかのアプリとの互換性は低い。

Keynote
作者 Apple
価格 無料

シンプルで使いやすいスライド作成アプリ。Apple Pencilとの相性が良く、スライド再生中に手書きメモを描画できる。

使いこなし
ヒント

各アプリでの
ファイル互換性について

GoogleおよびApple製のオフィスアプリで作成したファイルは、Microsoftのオフィスファイル形式に変換することができる。ただ、変換したファイルをMicrosoftのオフィスアプリで開くと、レイアウトがずれたり、一部機能が使えなくなったりなどの問題が発生する。互換性は完璧ではないので注意。

レイアウトが
少しずれて
しまう……

Pages　　Word

109

互換性重視ならiPad版のWordとExcelを使おう

取引先とオフィスファイルをやり取りするならコレ一択

　Microsoft製のiPad版Officeアプリを使う最大のメリットは、ファイルの互換性を保ちやすい、という点だ。他社製のオフィスアプリでも、WordやExcelのファイル形式を開くことができるが、一部のレイアウトが崩れたり、データが表示されなかったりする。仕事で使うのであれば、やはりファイルの互換性を保てるiPad版Officeを利用しておきたい。また、iPad版Officeは、機能や操作がiPad向けに最適化されており、パソコン版よりもシンプルで直感的に扱えるようになっているのもポイント。そこで本記事では、iPad版Officeについての基礎知識や、iPad版WordとExcelの基本的な使い方などを解説していく。

iPad版ならではの操作で快適に編集できる

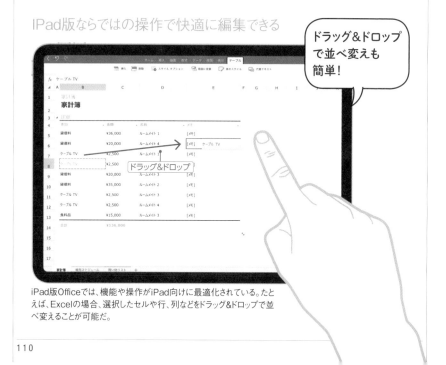

> ドラッグ&ドロップで並べ変えも簡単!

iPad版Officeでは、機能や操作がiPad向けに最適化されている。たとえば、Excelの場合、選択したセルや行、列などをドラッグ&ドロップで並べ変えることが可能だ。

iPad版では使えない機能が一部ある

iPad版Officeとパソコン版Officeでは、完全に同じ機能が使えるわけではない。パソコン版にある一部の高度な機能は、iPad版だと省かれているのだ。たとえば、マクロ機能はiPad版だと利用できず、マクロが埋め込まれたファイルを開いてもiPad版では実行できない。また、Excelのピボットテーブルは、iPad版だと新規作成することはできない。ただし、ピボットテーブルが使われたExcelファイルはiPad版でも開くことができ、ピボットテーブル自体を操作することも可能だ。詳しくは以下の表をチェックしてほしい。

ピボットテーブル機能は、iPad版でも表示が可能だが、新規作成はできない。

パソコン版とiPad版のおもな機能の違い

アプリ	パソコン版で使える機能	iPad版で使えない機能
W	スタイル	スタイルは適用可能だが、追加やカスタマイズは不可
	各種オブジェクトの挿入	表や画像、図形、テキストボックス、アイコンなどは使用可能。SmartArtやグラフなど一部のオブジェクトは表示のみの対応で挿入は不可
	文末脚注、引用文献、キャプション、目次など	表示は可能だが、追加や更新は不可
	校閲機能	スペルチェックは利用できるが、校正などはできない
	マクロ	マクロは実行できない
X	データの並び替え、フィルター処理	通常の並び替えやフィルター機能は使える。スライサーやタイムライン機能には未対応
	ピボットテーブル	既存のピボットテーブルを操作することは可能。ピボットテーブルの新規作成はできない
	条件付き書式、データ入力規則、外部データ機能	表示は可能だが、追加や更新は不可
	マクロ	マクロは実行できない

Wordの基本的な操作方法

1 ドキュメントを新規作成する

テンプレートを選ぶ

アプリを起動したらMicrosoftアカウントでサインインして、左上の「新規」をタップ。新規ドキュメントを作成しよう。テンプレートを選ぶことも可能だ。

2 テキストを入力して書式を設定する

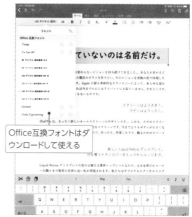

Office互換フォントはダウンロードして使える

テキスト編集機能はWordと同じ。「ホーム」タブにある各ボタンで書式を設定しよう。なお、Officeの互換フォントはダウンロードして使うことが可能だ。

3 文書に画像や表などを追加する

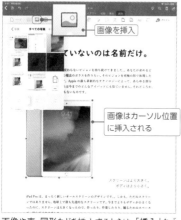

画像を挿入

画像はカーソル位置に挿入される

画像や表、図形などを挿入するときは、「挿入」タブから挿入したいものを選ぼう。画像の場合は、iPad内の写真を読み込むことができる。

用紙のサイズや余白の大きさを設定する

使いこなしヒント 3

サイズ

用紙サイズを設定

「レイアウト」タブからは、用紙のサイズや余白の大きさ、印刷の向きなどを設定できる。文書を作り込む前に設定しておこう。

ファイルの保存と印刷を行う

1 ファイルをOneDriveに保存する

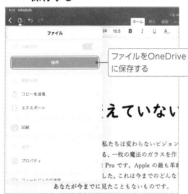

ファイルをOneDriveに保存する

ファイルをOneDriveに保存する場合は、画面左上のアイコンから「保存」をタップして保存場所を決めよう。一度保存すればあとは自動保存される。

2 ファイルを印刷する

「印刷」→「AirPrint」で印刷が行える

ファイルを印刷したい場合は、画面左上のアイコンから「印刷」→「AirPrint」を選択。Wi-Fi対応のプリンタと接続することで直接印刷が可能だ。

保存したファイルを共有する

1 ファイルの共有リンクをコピーする

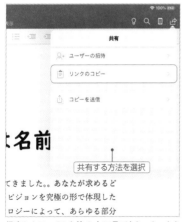

共有する方法を選択

保存したファイルを他の人に見てもらいたいときは、画面右上のボタンをタップ。「リンクのコピー」で共有リンクを取得し、メールなどで送信しよう。

2 特定の相手と共同で編集することも可能だ

ユーザーを招待すれば、特定の相手だけと共同編集することが可能

特定の相手だけと共同編集したい場合は、「ユーザーの招待」で「編集可能」をオンにして、共有相手を招待すればいい。

Excelの基本的な操作方法

1 スプレッドシートを新規作成する

アプリを起動したらMicrosoftアカウントでサインインして、左上の「新規」をタップ。新規ドキュメントを作成しよう。テンプレートを選ぶことも可能だ。

2 セルをタップしてデータを入力する

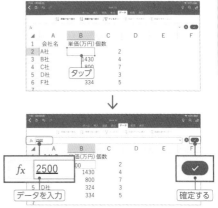

データを入力するには、目的のセルをタップ。画面上にある「fx」欄に文字や数字を入力しよう。Enterキーを押すか、緑色のチェックマークで確定だ。

3 セルに数式を入力して計算させる

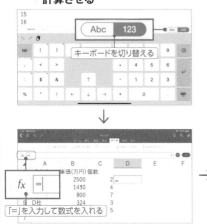

数式を入力する場合は、画面右下のボタンで数式用のキーボードに切り替えると効率的に入力できる。「fx」欄に数式を入力していこう。

数式入力時にほかのセルをタップすれば、その値を式に代入させることが可能だ。Enterキーを押すか、緑色のチェックマークをタップすると確定される。

オートフィル機能でデータや数式を自動入力する

1 選択したセルをタップして「フィル」を選択

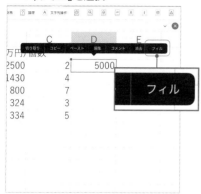

オートフィル（隣接したセルに連続データを自動入力する）機能を使いたい場合は、選択状態のセルをタップして「フィル」を選択しよう。

2 ■マークをドラッグしてオートフィルを実行

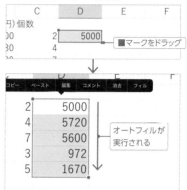

オートフィルが実行される

■マークをドラッグすると、オートフィルが実行され、連続したデータが入力される。数式の規則性を保ちながら連続入力したい場合に使うと便利だ。

パソコンで作ったファイルをOneDrive経由で開く

1 OneDrive上にファイルを保存しておく

ブラウザでOneDriveにアクセスしてファイルを保存

OneDrive
https://onedrive.live.com/

パソコンで作成したオフィスファイルをiPadで開きたいときは、OneDrive経由でやり取りすると便利。パソコンのWebブラウザでOneDriveのサイトにアクセスし、ファイルを保存しておこう。

2 アプリからOneDriveのファイルを開く

「開く」でOneDriveにアクセスする

iPad側でオフィスアプリを開いたら、画面左端の「開く」をタップ。OneDriveにアクセスして、目的のファイルを開こう。

使いこなしヒント

セルの内容を他のアプリにコピーする際の注意

Excelのセルをコピーして、メモアプリなど他のアプリに貼り付けると、画像として貼り付けられてしまうことがある。セルの内容をコピーしたい場合は、セルを編集状態にしてから文字をコピーしよう。

セルが画像でコピーされる

　iPad版Officeの各アプリは無料でインストールできるが、「個人または商用利用」、「使用するiPadの画面サイズ」、「Microsoft 365のライセンスの有無」、といった各条件によって使える機能に違いが出てくる（以下表参照）。フル機能が使えるのは、Microsoft 365のライセンスが紐付いているMicrosoftアカウントでサインインした場合のみ。Microsoft 365のライセンスを持っていない場合は、オフィスファイルの閲覧のみに機能が制限されてしまう（画面サイズが10.1インチ未満なら簡易の編集機能が使える）。なお、買い切り型のMicrosoft Officeを持っていても、iPad版Officeのフル機能は開放されないので注意しよう。

iPad版Officeは画面サイズによって使える機能が変わる

利用形態	iPadの画面サイズ	iPad版Office 無料版	Microsoft 365 アカウント利用時
個人利用	10.1インチ未満 iPad (第6世代)／iPad mini／iPhoneなど	閲覧+簡易編集機能 オフィスファイルの閲覧と簡易的な編集機能が使える	閲覧+すべての編集機能 Microsoft 365を契約している場合は、オフィスファイルの閲覧や編集が可能。機能制限もなく、すべての機能が使える
	10.1インチ以上 iPad Pro／iPad Airなど	閲覧のみ ファイルの閲覧自体は可能だが、編集作業が行えない	
商用利用	全端末対象	閲覧のみ 商用利用の場合、画面サイズに関わらず編集が行えない。ファイルの閲覧は可能だ	

Microsoft 365主要プランの利用料金（1ユーザーあたり）

利用形態	プラン名	1ヶ月契約※1	1年契約※1
家庭向け	Microsoft 365 Personal	1,284円	12,984円
法人向け	Microsoft 365 Business Basic※2	650円	6,480円
	Microsoft 365 Business Standard	1,630円	16,320円

家庭向けのプランであれば、「Microsoft 365 Personal」のライセンスでiPad版のフル機能が利用できる。法人向けの場合は、すでに法人で契約しているライセンスなどによって最適なプランが変わるので、詳しくはMicrosoftの公式サイトをチェックしてほしい。

※1／上記表の価格は、Microsoft Storeでの販売価格（税込）。
※2／「Microsoft 365 Business Basic」はデスクトップ版Officeが含まれないプラン。

Microsoft 365ライセンスの購入方法

「Microsoft 365」とは、毎月または毎年、利用料金を支払うサブスクリプション型のサービスだ（旧称「Office 365」）。サブスクリプションを契約したい人は、公式サイト（https://www.microsoft.com/ja-jp/microsoft-365）から購入するか、以下の手順でiPad上から購入しておこう。

1 画面上部に表示された「サインイン」をタップする

Microsoft 365を契約していないMicrosoftアカウントでiPad版Officeを使用した場合、トップ画面の左下に「プレミアムに移行」というボタンが表示される。まずはこれをタップしよう。

2 「無料の月を開始する」をタップする

上記のような画面になるので、「無料の月を開始する」をタップ。1ヵ月の無料期間付きで、Microsoft 365のサブスクリプションが購入できる。

3 プラン名をタップする

プラン名が表示されるのでタップ。なお、App Storeでは月額払いのみ契約できる。1年契約の支払いにしたい人は、公式サイトから購入すること。

4 購入手続きを済ませる

App Storeの購入画面になるので、問題なければ購入しよう。これで1ヵ月の無料期間が過ぎた後、App Store経由で毎月課金される。

Googleドキュメントと スプレッドシートを使ってみよう

AI機能で最適な画像や書式を提案してくれる

　Googleドキュメントやスプレッドシートは、iPadで文書や表を作りたいときに重宝するオフィスアプリだ。iPad用に提供されている専用アプリを使えば、テキストと画像を並べたシンプルな書類や、簡単な数式を使った表やグラフを手早く作ることができる。ファイルは常にGoogleドライブに同期され、パソコンなどのほかの端末でも閲覧・編集が可能。ファイルの共有や複数人での共同編集にも最適なため（P122参照）、チームメンバーと共有したい情報をまとめておくのにも重宝する。また、Googleのオフィスアプリには、ファイル内容を解析して、最適な画像や書式、グラフ設定などを提案してくれる「データ探索」というユニークな機能がある。これが意外と便利なので、うまく使いこなして説得力のある書類をスピーディに作ってみよう。

どんな端末でも書類を同期・編集できる

Googleドライブ経由で常に同期される

Googleドライブ
https://drive.google.com/

Googleドキュメントやスプレッドシートは、iPadやパソコンなど、さまざまな端末で使うことができる。データはGoogleドライブですぐ同期されるため、いちいち手動でファイルを転送する必要もない。

Googleドキュメントの基本操作

1 | ドキュメントを新規作成する

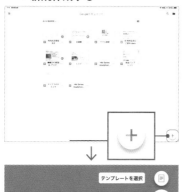

アプリを起動したらGoogleアカウントでサインインして、右下の「＋」をタップ。「新しいドキュメント」で新規ドキュメントに名前を付けて作成しよう。

2 | テキストを入力して書式を設定する

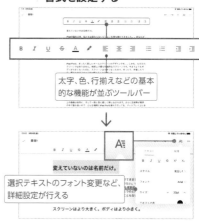

太字、色、行揃えなどの基本的な機能が並ぶツールバー

選択テキストのフォント変更など、詳細設定が行える

テキスト編集機能はWordと同じような感覚で使える。画面上のツールバーで基本的な書式を設定、右上の「A」ボタンで詳細を設定していこう。

3 | 文書に画像や表などを追加する

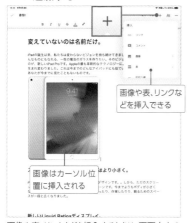

画像や表、リンクなどを挿入できる

画像はカーソル位置に挿入される

画像や表、リンクなどを挿入するときは、画面右上の「＋」ボタンから挿入したいものを選ぼう。画像の場合は、iPad内の写真を読み込むことができる。

4 | 情報収集の助けになる「データ探索」を使う

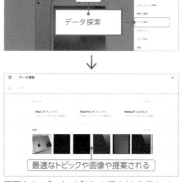

タップ

データ探索

最適なトピックや画像や提案される

画面右上の「…」から「データ探索」を実行すると、文章の内容を解析し、最適なトピック（検索キーワード）や画像（画像検索）を提案してくれる。

Googleスプレッドシートの基本操作

1 | スプレッドシートを新規作成する

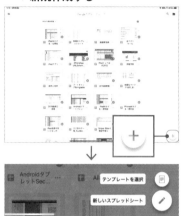

アプリを起動したらGoogleアカウントでサインインして、右下の「+」をタップ。新規スプレッドシートを作成しよう。テンプレートを選ぶことも可能だ。

2 | セルをダブルタップしてデータを入力する

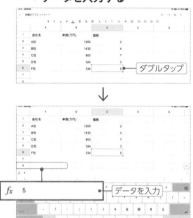

セルをダブルタップして編集状態にしたら、文字や数字を入力しよう。必要であれば画面上部のツールバーで書式も変更できる。

3 | セルに数式を入力して計算させる

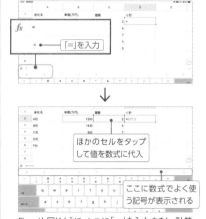

Excelと同じように、セルに「=」を入力すると、計算が行える。ほかのセルをタップすれば、その値を数式に代入させることも可能だ。

4 | 数式やデータをほかのセルに自動入力する

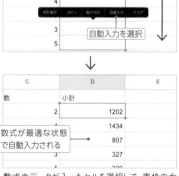

数式やデータが入ったセルを選択して、青枠の右下にある●マークを下にドラッグ。選択状態の青いエリアをタップして「自動入力」を実行すれば、その式やデータが選択したセルに自動入力される。

1 選択したセルの合計値を出す

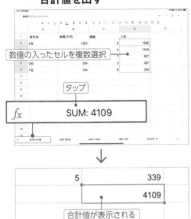

数値の入ったセルを複数選択

タップ

fx SUM: 4109

↓

5		339
		4109

合計値が表示される

Googleスプレッドシートでは関数も扱える。たとえば、SUM関数（合計値を計算）は、上のようにセルを選択して画面下の「SUM:●●」を選べばいい。

2 セルの枠線や色を設定する

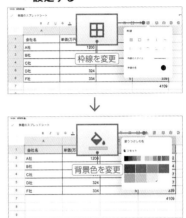

枠線を変更

↓

背景色を変更

セルの枠線や背景色は、画面上部のツールバーのボタンから変更できる。枠線にはいくつかの種類があり、枠線自体の色も変更可能だ。

3 フィルタを作成してデータを並べ替える

データ探索

フィルタを作成 → タップ

詳細

↓

タップ

条件を設定

右上の「…」から「フィルタを作成」を選び、セル内のフィルタマークをタップすると、セルを特定の条件で並べ替えたり、抽出表示したりが可能だ。

4 データ探索で表の書式やグラフを自動作成

検索と置換

データ探索 → タップ

フィルタを作成

↓

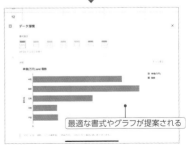

最適な書式やグラフが提案される

「データ探索」機能を実行すると、表の書式やグラフなどを最適な形で提案してくれる。グラフは数種類から選べ、シートに貼り付けることが可能だ。

複数のユーザーで
書類を作成、編集する

Googleドキュメントとスプレッドシートで共同作業を行う

　社外メンバーを含めたチームで文書や表計算のドキュメントを共同編集したいときは、Googleドキュメントやスプレッドシートを使うのが便利だ。Googleのオフィスアプリであれば、誰でも無料で編集に参加でき、パソコンやスマホなど環境を問わずにアクセスできる。ドキュメントを共有する最も簡単な方法は、共有リンクを発行して、メンバー全員に送るという方法だ。これで、共有リンク知っている人なら誰でも文書の閲覧や編集を行えるようになる。また、メンバー全員がGoogleアカウントを持っているなら、個別に招待することで参加メンバーを限定することが可能。この場合、メンバーごとにアクセス権を変えることができる。

プロジェクトメンバーで同じファイルを共同編集する

共同編集で
効率よく
文書を作成

複数人で共同編集すれば、より効率的にドキュメントを作ることができる。コメントの投稿もできるので、ほかのメンバーに相談しながら作業可能だ。

共有リンクでファイルを共有する方法

1 ファイルを開いて 共有ボタンをタップ

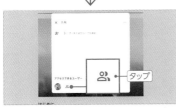

共有したいファイルを開いたら、画面右上の共有ボタンをタップしよう。共有の設定画面が開くので、灰色の人型アイコンをタップする。

2 リンクの共有を オンにする

上の画面になったら「変更」をタップし、アクセス権を「閲覧者」に切り替える。さらにURLをタップ→「リンクをコピー」で共有URLをコピーしよう。

3 メールやSNSなどで 共有URLを相手に渡す

共有URLをメールで送信する

あとはメールやSNSなどを使い、共有相手に共有URLを伝えよう。共有URLを知っている人であれば、誰でもファイルを閲覧できるようになる。

使いこなしヒント 誰でも編集できるように アクセス権を変更する

手順2の画面では、共有URLからアクセスした他のユーザーのアクセス権を設定することができる。共有ユーザー全員にファイルの閲覧だけでなく編集作業も任せたいなら、アクセス権を「編集者」にしておこう。

1 共有するユーザーの メールアドレスを入力

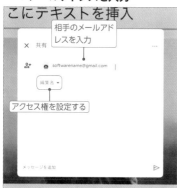

特定のユーザーだけにアクセス権を与えて共有したい場合は、共有の設定画面で相手のメールアドレス（Googleアカウント）を入力し、アクセス権を決めて招待メールを送信しよう。この場合、相手もGoogleアカウントを所持している必要がある。

2 共有中の相手は どう見える?

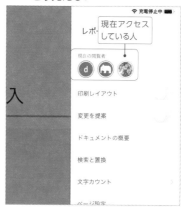

「…」ボタンをタップすると、現在ファイルにアクセスしている共有相手がGoogleアカウントのアイコンで表示される。なお、共有リンクからアクセスした人は匿名用の動物アイコンで表示される。

3 共同でファイルの 編集を行おう

編集権を持っているユーザーがファイルを編集すると、その部分はハイライト表示される。他人が編集した内容は、リアルタイムに反映される。

ファイルの共有を オフにするには?

ファイルの共有をオフにしたい場合は、共有設定画面でアカウントアイコンをタップし、ユーザー名をタップして「削除」を実行すればいい。また、リンクの共有をオフにするには、「変更」をタップして「制限付き」に設定しよう。

ほかのメンバーに変更を提案する方法

1 「変更を提案」を 有効にする

画面右上の「…」から「変更を提案」をオンにして 編集を行うと、変更をほかのメンバーに提案する形 で編集作業が行える。

2 提案について返信や 承認を行おう

提案箇所をタップ

変更の承認や拒否、返信が可能

提案された箇所は打ち消し線などが描かれる。タッ プして「提案を表示」を実行すれば、他のユーザー と意見を交換したり、変更を承認したりが可能だ。

コメント機能でほかのメンバーとやり取りする

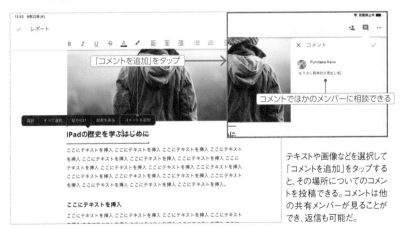

「コメントを追加」をタップ

コメントでほかのメンバーに相談できる

テキストや画像などを選択して 「コメントを追加」をタップする と、その場所についてのコメン トを投稿できる。コメントは他 の共有メンバーが見ることが でき、返信も可能だ。

詳細な変更履歴を確認するにはパソコンで操作しよう

ファイル一覧画面で、ファイルごとの「…」から「詳細とアクティビティ」をタップすると、大まか な履歴が表示される。なお、iPad版アプリだとファイルごとの細かい変更履歴は確認できな い。変更履歴を詳細にチェックしたい場合は、パソコンのWebブラウザからアクセスしよう。

Pagesで見栄えのよい
企画書や資料を作成する

雑誌風のレイアウトも簡単に作成できる

　テキスト中心のシンプルな文書ではなく、写真や表などを配置した見栄えのよい文書を作りたいのであれば、「Pages」を使ってみよう。同じ文書作成アプリの「Word」とできることは似ているが、Apple製のアプリだけあって目的の操作をストレスなく行える。テキストの基本的な書式設定や行間隔、段組みといった細かな設定も、素早く操作することが可能だ。また、画像挿入時は、ファイルアプリ経由でOneDriveなどの他社製クラウドストレージから画像を読み込める。他社製のオフィスアプリだと、あらかじめ画像をiPad内に保存しておく必要があるが、その手間がなくなるのでかなり便利だ。これなら、写真や画像を多用した雑誌風のレイアウトも、iPadだけでスムーズに作成することができる。なお、作成したファイルを他人に渡す場合、Pagesのファイル形式のままだと相手が開けない可能性がある。PDFに出力してからメールなどで送信しよう。

レイアウトの
自由度が高い
のが特徴!

Pagesは、テキストや画像のレイアウトの自由度が高く、見栄えのよいドキュメントを簡単な操作で作成できる。

ドキュメントを新規作成してテキストの書式を設定する

1 ドキュメントを新規作成する

アプリを起動したら、画面右上の「+」をタップ。テンプレートから新規ドキュメントを作成しよう。空白から始めたいときは、空白のテンプレートを選択する。

2 テキストを入力して書式を設定する

テキストを入力して文書を作っていこう。テキストを選択して、右上のブラシアイコンをタップすれば、段落スタイルやフォント、色などの書式を設定できる。

3 テキストの行間隔や段組みの列数なども設定可能

右上のブラシアイコンからは、選択したテキストの行間隔や段組みの列数を設定できる。読みやすい状態に設定しておこう。

使いこなしヒント テキストボックスを挿入するには

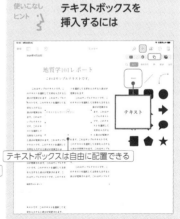

自由に配置できるテキストボックスを挿入する場合は、画面右上の「+」ボタンをタップ。図形マークをタップして、「テキスト」と書かれたものを挿入すればいい。

画像を挿入してテキストの折り返し設定をする

1 「+」ボタンから画像を挿入できる

写真またはビデオ

カメラ

オーディオを録音

Webビデオ

イメージギャラリー

挿入元...

「挿入元」をタップ

描画

方程式

画面右上の「+」ボタンからは、画像や表、グラフ、図形を挿入できる。ここでは画像を選択して、「挿入元」をタップしよう。

2 ファイルアプリで挿入したい画像を選択

挿入したい画像を選択する

「挿入元」では、ファイルアプリで連携している各種クラウドサービスから画像を挿入できる。iCloud DriveやOneDriveから直接挿入が可能だ。

3 画像のテキスト折り返し（回り込み）設定を行う

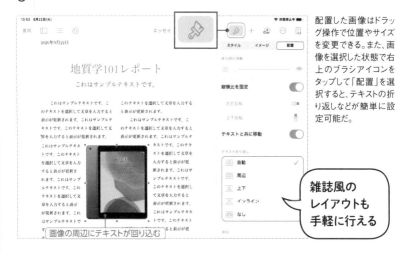

画像の周辺にテキストが回り込む

配置した画像はドラッグ操作で位置やサイズを変更できる。また、画像を選択した状態で右上のブラシアイコンをタップして「配置」を選択すると、テキストの折り返しなどが簡単に設定可能だ。

雑誌風のレイアウトも手軽に行える

Apple Pencilで手書きの図を挿入する

Apple Pencilで画面をタッチしたら、画面下の「描画」ボタンをタップ。描画エリアが挿入されるので、そこに手書きの図などを描いていこう

完成した文書をPDFで書き出す

1 PDFで書き出しを行う

完成したドキュメントを誰かに渡したい場合はPDF化しておこう。画面右上の「…」から「書き出し」→「PDF」をタップする。

2 送信方法または保存場所を設定する

上の画面が表示されるので、PDFの送信方法を選択しよう。ほかのクラウドサービスに保存したい場合は「"ファイル"に保存」から設定すればいい。

柔軟かつ直感的に
カンプや見本を制作する

デザインのイメージを素早く形にするのに便利

　Webページや印刷物の制作を成功させるには、クライアントとデザイナーが完成イメージを共有しておくことが重要だ。そのため、実際の現場では、デザイナーがワイヤーフレーム（ラフスケッチ）やカンプ（デザイン完成見本）を何度か作り、クライアントとイメージを共有することが多い。そこで活用したいのが、ワイヤーフレームやカンプをiPadで簡単に制作できる「Adobe Comp CC」だ。最大の特徴は、簡単なジェスチャー操作で画像やテキスト、図形などを直感的に配置できるという点。スピーディにデザインやレイアウトのイメージを固められるので、電車やタクシーの移動中にカンプを作ってしまう、といったことも可能だ。完成したデータは「Illustrator」や「Photoshop」、「InDesign」といったAdobeのパソコン用アプリに送って、本番のデザイン制作に活かすことができる。

直感的な操作でカンプを制作できる「Adobe Comp CC」

スピーディに
デザインカンプが
作れる！

Adobe Comp CC
作者 Adobe Inc.
価格 無料

Adobe Comp CCは、本番のデザインを仕上げるためのものではなく、あくまでワイヤーフレームやラフスケッチ作るためのものだ。その分、操作がシンプルなので、打ち合わせ中に、iPadでサッとラフレイアウトを作る、といったことも可能。

ジェスチャ操作で画像やテキストを配置していこう

1 Adobe IDでサインインして デザインの形式を選ぶ

「その他の形式」でほか の形式を選択可能

アプリを起動したら、まずはAdobe IDでサインインしておこう。次に、作成したいデザインの形式（ページのサイズ）を選ぶ。

2 描画ジェスチャーを ヘルプで確認しておく

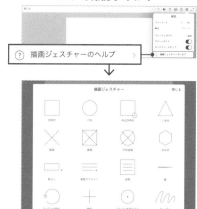

空白の新しいデザインが開いたら、画面右上の歯車アイコンをタップして、「描画ジェスチャーのヘルプ」をタップ。ジェスチャー操作を確認しておこう。

3 ジェスチャーで画像や テキストを配置していく

↓

ジェスチャーで各オブ ジェクトを配置できる

ジェスチャ操作で画像やテキスト、シェイプ（図形）を配置していく。各オブジェクトはタップすることで選択状態になり、位置や大きさを変更可能だ。

4 各オブジェクトを編集して カンプを仕上げていこう

画面下のボタン で各オブジェク トの編集が可能

各オブジェクトを選択すると、画面下に編集ボタンが表示される。ここから画像に写真を貼り付けたり、テキストのフォントを変更したりが可能だ。なお、写真は「Adobe Stock（ストック写真サービス）」にも対応。イメージに近い写真をすぐ探せる。

企画書やプレゼン資料で使える
フォントを追加する

App Storeにないフォントでもインストールできる

　iPadOSでは、他社製のフォントをインストールして使うことができる。ただし、各種フォントはApp Storeからインストールする方式なので、App Storeに存在しないフォントは当然使えない。そのため、いつもパソコン環境などで使っているフォントがすぐに使えるわけではないのだ。そこで試してほしいのが、主要なフォント形式のファイルをiPadに強制インストールできる「AnyFont」というアプリ。対応フォント形式は、TureTypeフォント（.ttf）、OpenTypeフォント（.otf）、TrueTypeコレクション（.ttc）の3つ。インストールしたフォントは、システム全体で利用でき、オフィス系アプリでも使うことが可能だ。「パソコンで作ったWordファイルをiPadで開くと、フォントがなくて見た目が変わってしまう」といったよくある問題も、AnyFontで必要なフォントをインストールすれば解決できる。

フォントを強制的にインストール可能な「AnyFont」

AnyFont
作者 Florian Schimanke
価格 240円

AnyFontを使えば、フリーフォントはもちろん、デザイナーが使うような市販フォントもiPadにインストールできる。ただし、市販フォントの場合は、ライセンス上使えるかを確認しておくこと。

プロ用フォントもインストールできる！

AnyFontでフォントをインストールする方法

1 パソコンに接続して フォントファイルを転送する

まずはiPadをパソコンにUSB接続し、パソコンでiTunesを起動。iPadの同期画面を開いて「ファイル共有」から「AnyFont」をクリックしよう。右側の欄に転送したいフォントをドラッグ&ドロップする。

2 AnyFontを 起動する

iPadでAnyFontを起動して、インストールしたいフォント名をタップ。「Install」→「許可」→「閉じる」で構成プロファイルをダウンロードする。

3 プロファイルを 有効にする

「設定」→「一般」→「プロファイル」をタップして、フォント名のプロファイルをタップ。右上の「インストール」をタップしたら、「次へ」→「インストール」→「インストール」→「完了」でインストール完了だ。

4 各種アプリで フォントを呼び出してみよう

WordやPagesなどの各種アプリで書体設定を呼び出し、インストールしたフォントが使えるようになっていればOKだ。なお、使用するアプリによっては、インストールしたフォントがうまく使えない場合もある。

表計算に手書きで
指示やメモを書き加える
印刷やPDF化が不要になるので効率的

　取引先から送られてきたエクセルファイルに、ちょっとした修正指示を書き込んで送り返したいが、いちいち印刷やPDF化するのは面倒……。そんなときには、iPad版の「Microsoft Excel」でエクセルファイルを開いて、Apple Pencilで直接書き込めばいい。Apple Pencilなら、特にメニューを切り替える必要がなく、画面をタッチするだけで自動的に描画モードに切り替わる。なお、書き込んだ内容は、ペンで描画したオブジェクトとして扱われ、パソコンで開いてもきちんと見ることが可能だ。この方法で修正指示を入れれば、そのままiPadで直接エクセルファイルを送り返せるので効率的。なお、Appleの表計算アプリである「Numbers」も、Apple Pencilでの書き込みに対応している。ファイルに直接指示を書き込めるのは意外と便利なので使いこなしてみよう。

エクセルファイルに手書きのメモを残せる

印刷しなくても
修正指示を
手書きで書ける！

エクセルファイルを開いた状態でApple Pencilを使うと、そのまま手書き文字が書き込める。ちょっとした修正指示やメモなどを残したいときに便利だ。

1 「描画」メニューから 色や太さをカスタマイズ

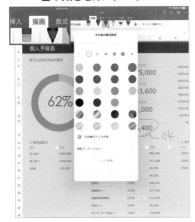

画面上部の「描画」を開けば、ペンの種類や色、太さなどをカスタマイズ可能だ。「タッチして描画する」をオンにすれば、指だけでの描画もできる。

2 書き込んだファイルを 送るには？

書き込んだエクセルファイルを送信したい場合は、画面右上の共有ボタンで一度保存してから、さらに共有ボタンで「コピーを送信」を選ぼう。

3 書き込んだエクセルファイルを パソコンで開くと？

手書きメモを書き込んだエクセルファイルは、パソコンでも開くことができる。ひとつひとつのストロークがオブジェクト扱いになっていて、編集も可能だ。

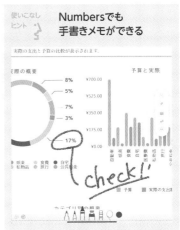

Numbersの場合も、ファイルを開いた状態でApple Pencilを使うだけで、手書きメモを書き込める。画面下部のメニューからペンの種類や色などを変更可能だ。

KeynoteとApple Pencilで
最強のプレゼン環境を構築

Keynoteでプレゼン資料を作成して再生しよう

　プレゼン用のアプリと言えば、古くから「PowerPoint」が主流だ。しかし、作業環境がiPadやMacで完結できるのであれば、「Keynote」を利用してみるのもオススメ。他社製品よりiPadに最適化されており、インターフェイスもシンプルで使いやすく、見栄えのいいスライドを簡単に作成できる。また、Apple Pencilとの相性も抜群で、スライドに手書きで文字を書き込むのはもちろん、スライド再生中に要点を線で囲んだり、レーザーポインタ代わりにしたりなどが可能だ。別途HDMIやVGA接続用のアダプタを購入しておけば、外部のプロジェクターやディスプレイにも接続でき、大きな会場でのプレゼンにも問題なく対応できる。なお、作成したスライドは、PowerPoint形式への変換や、PDF、ムービー、アニメーションGIFなど、さまざまな形式で出力することが可能だ。

Apple Pencilでスライド再生中に書き込みできる

Apple Pencilがあれば、プレゼン中にポイントとなる部分を手書きで囲ったり、メモを書いたりが直感的にできる。レーザーポインタ的な機能もあるので便利だ。

Keynoteでプレゼン資料を作成してみよう

1 ファイルを新規作成して テーマを選ぶ

↓

好きなテーマを選択

まずは、Keynoteでプレゼン資料を作る際の基本操作を解説しておこう。アプリを起動したら、画面右上の「+」をタップし、好きなテーマを選択する。

2 編集エリアをダブルタップして テキストを入力

ダブルタップで編集

↓

タイトルのスライドが表示されるので、編集エリアをダブルタップしてテキスト入力。画面右上のブラシアイコンで、フォントや色などの変更が可能だ。

3 新たなスライドを追加して 画像を配置する

追加するスライドを選択

↓

スライドの追加は、画面左下の「+」をタップすればいい。また、スライドのダミー画像を置き換えたい場合は、画像をタップして右下の「+」をタップする。

4 背景の色変更や 各種オブジェクトの追加

背景色を変更

↓

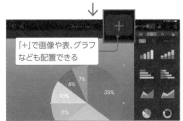

「+」で画像や表、グラフなども配置できる

背景色の変更は、背景をタップして右上のブラシアイコン→「背景」を選択。右上の「+」ボタンからは表やグラフ、図形、画像などを挿入できる。

完成したプレゼンテーションを再生させる

1 プレゼンテーションを開いて再生ボタンをタップ

①最初に表示させたい
スライドをタップ

②再生ボタンをタップ

完成したプレゼンテーションを再生させるには、まず画面左側のスライド一覧から最初に再生させたいスライドをタップ。画面右上の再生ボタンをタップすればいい。

最初のページ
を表示させて
おくこと!

2 再生中の操作を把握しておこう

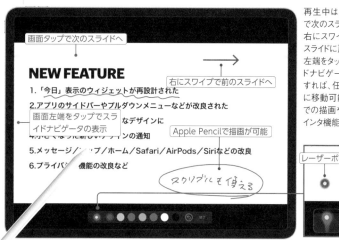

画面タップで次のスライドへ

NEW FEATURE

右にスワイプで前のスライドへ

1.「今日」表示のウィジェットが再設計された

2.アプリのサイドバーやプルダウンメニューなどが改良された

画面左端をタップでスライドナビゲータの表示

Apple Pencilで描画が可能

5.メッセージ/マップ/ホーム/Safari/AirPods/Siriなどの改良

6.プライバシー機能の改良など

スクリブルも使える

レーザーポインタ機能

再生中は、画面タップで次のスライドに移動、右にスワイプして前のスライドに戻る。画面左端をタップしてスライドナビゲーターを表示すれば、任意のページに移動可能だ。手書きでの描画やレーザーポインタ機能も使える。

使いこなし
ヒント

インターネット経由で再生できる「Keynote Live」

画面右上の「…」から「Keynote Liveを使用」を実行すると、インターネット経由でプレゼンテーションを再生できるようになる。参加者側は、iOS端末かMac、もしくはブラウザであればWindowsなどでも閲覧が可能だ。リモートワーク環境でプレゼンしたい際などに便利。

iPadをプロジェクタやディスプレイに接続するには?

　プレゼンテーションを行う場合、会場に設置されたプロジェクタやディスプレイなどの大きな画面にスライドを写すことが多い。iPadの映像をプロジェクタもしくはディスプレイに出力したい場合は、以下で紹介しているアダプタと接続用のHDMIもしくはVGAケーブルを別途用意しておこう。古いプロジェクタしかない環境だと、VGA接続しかできないことがあるので要注意だ。

陶芸展『次世代の女性陶芸家たち』
イベント企画の概要について

USB-C Digital AV Multiportアダプタ
Apple
6,800円(税別)

iPadのUSB-C端子と接続することで、HDMI接続で映像を外部出力しつつ、USB端子や充電ケーブルと接続できる。

USB-C VGA Multiportアダプタ
Apple
6,800円(税別)
古めのプロジェクターだと、VGA端子しか映像入力がない場合もあるので、その場合はHDMIではなく、VGA出力の付いたアダプタを買おう。

Apple TV 4K
Apple
19,800円(税別)
企業によってはミーティングルームにApple TVが用意されている場合もある。Apple TVなら、iPadの映像をWi-Fi経由で送ることが可能だ。

使いこなし
ヒント 3
Lightning端子が搭載されているiPadの場合
Lightning端子が搭載されているiPadの場合は、上記で紹介している各種アダプタではなく、Lightning端子用のアダプタを購入しよう。HDMI接続用は「Lightning - Digital AVアダプタ(5,800円)」、VGA接続用は「Lightning - VGAアダプタ(5,800円)」がオススメ。

iPadをPowerPointの再生端末として使う

モバイル性の高いiPadならプレゼンも快適にこなせる

　普段仕事でPowerPointを扱っているなら、iPad版のPowerPointも使いこなしておきたい。iPadならノートパソコンよりも圧倒的に持ち運びが楽で、タッチパネルやApple Pencilによる直感的な操作ができるという大きなメリットがある。また、iPad版はパソコン版（Microsoft 365）の主要な機能がほぼ網羅されており、機能不足感もあまり感じられない。慣れてしまえば、iPadだけでスライドの作成から再生まですべて完結させることも可能だ。ただし、iPad版では、スライドに挿入したい画像を、あらかじめiPad本体（カメラロール）に保存しておく必要がある、というデメリットがある（別途OneDrive用のアプリなどでパソコンからカメラロールに画像保存しておくのがおすすめ）。このひと手間が意外と面倒なので、画像を多用するスライドを作成する場合は、パソコン版で作業したほうがスムーズだ。まずは、PowerPointファイルの再生端末としてiPadを使いこなしてみよう。

パソコンで作ったPowerPointファイルをそのまま再生!

iPad版PowerPointなら、パソコンで作ったPowerPointファイルをそのまま開くことができる。iPadだけ常に持ち歩いていれば、どこでも気軽にプレゼンができてしまうのだ。

PowerPointファイル

既存のPowerPointファイルを開いて再生させよう

1 OneDrive経由で ファイルを開く

目的のファイルを開く

アプリを起動したらMicrosoftアカウントでサインインしておく。パソコンで作ったPowerPointファイルを開くときは、OneDrive経由で受け渡しをすると簡単。上の画面で「開く」からファイルを開こう。

2 再生ボタンを タップする

タップ

必要ならファイルの編集を行っておく

ファイルが開いたら、全スライドで問題がないかチェック。必要であれば編集を行おう。スライドを再生させる場合は、画面右上の再生ボタンをタップ。

スライド再生中に書き込みも可能だ!

下にスワイプでメニュー表示

右上のペン設定ボタンからペンの描画設定も行える

左右スワイプでスライド移動

3 スライドが 再生される

これでスライドが再生される。左右スワイプでスライドを移動しよう。指先やApple Pencilを使って、手書きでの書き込みも可能だ。

iPhoneをリモコンにして
プレゼンを行う

動きながらプレゼンをしたいときに役立つ

　　Keynoteで実際にスライドを再生する場合、常にiPadの側にいてスライド操作を行う必要がある。しかし、この状態だと動きながらプレゼンをするのが難しい。そこで利用したいのが「Kenote Remote」。本機能を使えば、iPadで映像＋音声出力を行い、iPhoneでスライドの再生操作を行う、といったことが可能となる。ただし、Wi-Fi接続が必須なので、事前に会場のWi-Fi環境を確認しよう。

iPhoneをKeynoteのリモコンとして設定する

1 iPhoneのKeynoteで Remote機能を起動

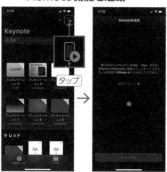

iPhoneでKeynoteを起動したら、画面右上の
Remoteボタンをタップ。表示される手順通りに
画面を進め、接続待機画面にしておこう。

2 iPadのKeynoteで Remoteを有効にする

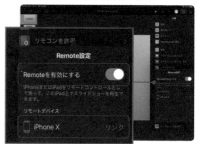

iPadでもKeynoteを起動し、プレゼンテーションを
表示。画面右上の「…」から「リモコンを許可」→
「Remoteを有効にする」をオンにしたら、接続する
iPhoneの名前の「リンク」をタップ。

3 iPhone側でスライドを 操作できる

双方の端末で接続設定が完了すると、
iPhoneでスライドを再生できるようになる。
指先での描画も可能だ。

PDF
の仕事技

PDFを柔軟に扱える
PDF Expertを導入しよう
PDF書類を高度に管理・編集できる定番アプリ

　電子化された書類のスタンダード形式と言えばPDF。iPadではメールで届いたPDFファイルをタップするだけで開くことができるし、マークアップ機能を使って指示を書き加えることもできる。ただ、マークアップは細かい指示の書き込みにあまり向いていない。また、PDFのページを入れ替えたり、テキスト内容を編集することも、標準機能ではできない。そこで、PDFを詳細かつ自由度高く扱える定番アプリ、「PDF Expert」を使ってみよう。下にまとめたとおり、無料版でもPDFに注釈を加えたりクラウドと同期できるが、PDF内のテキストを編集したり、PDFのページを入れ替えたり、オフィスファイルをPDFに変換したり、PDFを暗号化するには、年額5,400円の有料版(サブスクリプション契約)が必要だ。

PDF Expert無料版と有料版の機能の違い

	無料版	PRO版 (5,400円／年)
ファイルとフォルダの管理	○	○
クラウドでの作業	○	○
PDFの閲覧	○	○
PDFに注釈をつける	○	○
フォームに記入	○	○
PDFに署名	※	○
スタンプを追加	※	○
PDFページを管理	※	○
PDFを結合する	※	○
PDFテキストの編集	※※	○
PDF画像の編集	※※	○
リンクの追加	※※	○
機密情報の墨消し	※※	○
書類や画像をPDFに変換	-	○
ファイルサイズの圧縮	-	○
ツールバーのカスタマイズ	-	○

PDF Expert
作者 Readdle Inc.
価格 無料

※　PDF Expert 6(旧バージョン)の購入履歴があれば利用可能

※※　PDF Expert 6の購入履歴がありアプリ内課金もしていれば利用可能

PDF ExpertにPDFファイルを保存する

1 | クラウドサービスを追加する

まず、サイドメニューの「接続先を追加」をタップ。PDFファイルが保存されているクラウドをタップし、連携を許可しよう。ここでは「Dropbox」を追加する。

2 | 「このフォルダを同期」をタップする

「接続先」欄に追加されたDropboxにアクセスし、PDFが入ったフォルダを開いたら、上部の同期ボタンをタップして「このフォルダを同期」をタップ。

3 | PDF Expertに同期

タップしてフォルダを開く。フォルダを同期せず、サイドメニューからDropboxにアクセスして、直接ファイルをPDF Expertで開いたり、PDF Expertにファイルをダウンロードして扱うなど、使いやすい方法で利用しよう

「マイファイル」に「同期フォルダ」が作成され、この中に同期したフォルダのコピーが作成される。オンライン中はDropboxと双方向で同期し、オフラインでもアクセスできる。

使いこなしヒント メールに添付されたPDFを保存する

メールに添付されたPDFファイルは、ロングタップして「共有」→「PDF Expert」で保存できる。共有メニューにアイコンがない時は、「その他」の候補から「PDF Expert」を追加しよう。

保存したPDFファイルを操作する

1 | 新規フォルダや PDFを作成する

右下の「＋」ボタンから、「フォルダを作成」で新規フォルダを、「PDFを作成」や「ファイルからPDFを作成」でPDFファイルを作成できる。

2 | PDFをコピー、移動、削除する

ファイルやフォルダの「…」ボタンをタップすると、表示されるメニューでコピー、移動、削除といった操作を行える。

3 | PDFを複数選択 して操作する

右上のチェックマークボタンをタップすると選択モードになる。複数ファイルにチェックすると、サイドメニューでコピーや移動、削除を行える。ロングタップして左メニューにドラッグし、まとめて他のフォルダに移動することも可能。

4 | iPadの標準操作でも 複数選択できる

iPadの標準操作でも複数のファイルを選択できる。1つのファイルをロングタップして浮かび上がったら少し動かし、そのまま他の指で別のファイルを選択していこう。まとめてドラッグ&ドロップで操作できるようになる。

PDFファイルを送信する、共有する

1 | PDFを添付して メールを送る

ファイルの「…」ボタンから「メール」をタップすると、添付してメールを作成できる。フォルダの場合はZIPで圧縮して添付される。

2 | PDFを他のアプリ にコピーする

編集したPDFを他のアプリで開きたい場合は、「…」→「共有」をタップ。コピー先のアプリを選択しよう。

ZIP形式で圧縮、解凍する

1 | ファイルやフォルダ を圧縮する

ファイルやフォルダの「…」→「圧縮」をタップすると、ZIP形式で圧縮したファイルが作成される。

2 | 解凍は圧縮ファイル をタップするだけ

圧縮ファイルはタップするだけで中身が解凍される。パスワード付きZIPファイルの解凍にも対応している。

PDFの書類に指示や注釈を書き加える

PDF ExpertでPDF書類にメモを記入しよう

　PDF Expertを使えば、PDFの書類内に文字や図形を自在に書き込める。「注釈」タブ開き、「ペン」「マーカー線」「テキスト」「メモ」「図形」などのツールを切り替えて、PDFに指示や注釈を追加していこう。それぞれのツールは、カラー、太さ、筆圧の有無などの設定を、細かく変更できるようになっている。Apple Pencilと組み合わせれば、PDFへの書き込みはより快適になるだろう。ただし無料版だと、ツールバーにはペンとマーカーがそれぞれ1本ずつしか用意されていないので、ペンのカラーや太さを素早く切り替えたいときに不便だ。そこで、マーカーの不透明度を「100%」にし、好きなカラーと太さに調整して、色違いの2本目のペンツールとして使うのがおすすめだ（P151で解説）。

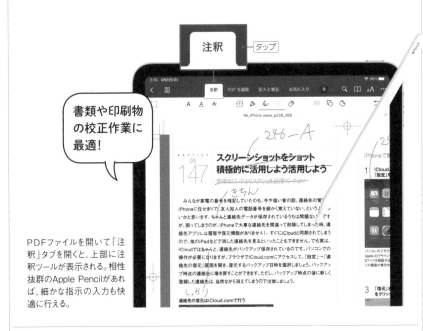

書類や印刷物の校正作業に最適！

PDFファイルを開いて「注釈」タブを開くと、上部に注釈ツールが表示される。相性抜群のApple Pencilがあれば、細かな指示の入力も快適に行える。

PDFにペンや手書きで入力する

1 ペンで指示を書き込む

ツールバーの「ペン」「マーカー」ボタンをタップすると手書きモードになる。マーカーは不透明度とカラー、太さを調整して、2本目のペンとして使ったほうが便利（P151で解説）。

2 消しゴムで書き込みを消す

「消しゴム」ボタンをタップすると、ペンで書き込んだ文字を消せる。Apple Pencil（第2世代）のダブルタップでも消しゴムツールに切り替えできる。

3 ハイライトやアンダーライン

ツールバーの左の方にある各ボタンで、文字にマーカーを引いたり、下線を引いたり、取り消し線を引くことができる。

4 書き込みのサイズ変更や削除

入力した書き込みをタップするとメニューが表示され、コピーや削除を行える。また青い枠をドラッグすれば、サイズを変更できる。

PDFにテキストやメモを入力する

1 | テキストを挿入する

「テキスト」ボタンをタップすると、タップした位置にテキストを挿入できる。フォントやフォントサイズも変更可能だ。

2 | メモを書いて添付する

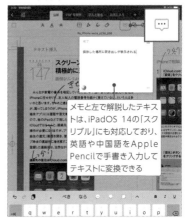

「メモ」ボタンをタップすると、タップした位置にメモを貼り付けできる。普段は小さな吹き出しボタンで表示されるので、指定箇所に長文で指示を加えたい時に便利。

3 | 範囲選択ツールを使いこなす

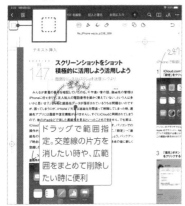

ツールバー左端の□ボタンをタップすると範囲選択モード。ドラッグした範囲の書き込みのみが選択状態になり、選択部分に対して移動や削除の操作を行える。

4 | 図形を挿入する

「図形」ボタンをタップすると、タップした位置に四角、円、直線、矢印などの図形を挿入できる。「その他の設定」で塗りつぶし設定も可能だ。

ペンとマーカーのおすすめ設定

1 | ペンの筆圧は「均一」に設定

ペンツールのカラーボタンをタップすると、カラーの変更や太さを調節できる。筆圧は、太さが変わる「感知」よりも、一定の太さで手書きできる「均一」を選択したほうが使いやすい。

2 | マーカーを2本目のペンにする

マーカーをあまり使わないなら、色違いの2本目のペンとして使う方が便利。「不透明度」を「100%」に設定した上で、カラーはペンと違う色に、太さは「1pt」などに設定しよう。

「お気に入り」で複数のペンを追加する

1 | お気に入りタブでツールを追加する

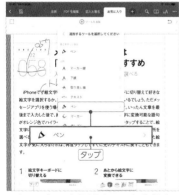

サブスクリプション契約を済ませていれば、「お気に入り」タブで複数のペンを登録できる。「ツールを追加」→「ペン」をタップし、色や太さが違う複数のペンを追加しておこう。

2 | お気に入りのツールを編集する

ツールバー右端の「お気に入り設定」ボタンをタップすると、別のツールを追加できるほか、「編集」ボタンで追加済みのペンを削除したり並べ替えできる。

2つのPDFを同時に
開いて書き込みを行う

PDF Expertを同時起動して2画面で作業できる

PDFファイルを2つ並べて、相互に参照しながら作業したいシーンは多い。例えば、修正前と修正後のPDFファイルを並べて表示すれば、修正箇所をひと目で把握できる。また何百ページもあるPDFファイルは、見返したいページにいちいち戻らなくても、片方で参照したいページを表示させながらもう片方の画面で別のページを書き込みできると便利だ。そんな時は、iPadの画面を分割表示できるSplit ViewやSlide Over機能（P34から詳しく解説）を使ってみよう。PDF Expertなどの対応アプリであれば、これらの機能で同じアプリを同時に2つ開いて表示できるので、それぞれの画面でPDFファイルを開いて、見比べながら作業できるようになる。またそれぞれの画面で別のフォルダを開いて、ドラッグ&ドロップでPDFファイルを移動するといった操作も簡単に行える。

PDF Expertを2画面で開いた際のメニュー操作

「注釈」「PDFを編集」などのタブは、この部分をタップして表示されるメニューから切り替える

マイファイル、接続先、履歴、設定メニューは下部に移動する

PDF Expertは通常だと、サイドバーにマイファイルや接続先などのメニューがまとめられているが、Split ViewやSlide Overで分割すると、これらのメニューは下部に移動する。PDF編集時のメニューなども少し操作性が変わるので注意しよう。

新旧ファイルを見比べて確認するならSplit View

1 PDF ExpertをSplit Viewで開く

画面端にドラッグ

新旧2つのPDFを見比べて、変更箇所をチェックしたい場合などは、Split Viewで分割するといい。まずあらかじめPDF Expertを表示しておき、画面下部を少し上にスワイプしてDockを表示したら、PDF Expertのアイコンを画面の左右端にドラッグする。

2 PDF Expertが2画面で分割表示される

左右の画面で見比べたいPDFを開く

PDF Expertが2つの画面で分割表示されるので、それぞれの画面で見比べたいファイルを開こう。左右のPDFファイルでどこが変わったかが分かりやすくなる。もちろん、それぞれの画面で注釈の書き込みや編集作業なども行える。左右画面で同一ファイルを開いて、それぞれ別のページを表示させるといった使い方もできる。

使いこなしヒント

同時に3つの画面を開くこともできる

Split Viewで画面を分割中にDockを表示させて、PDF ExpertのアイコンをSplit Viewの仕切り線部分にドラッグしてみよう。すると、Slide Overの画面も表示されて、合計3つの画面でPDFを開いて作業することができるようになる。

同じPDFの離れたページを参照するならSlide Over

1 PDF ExpertをSlide Overで開く

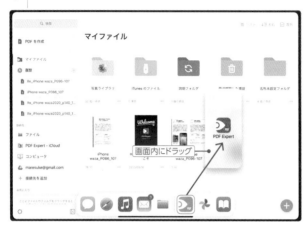

画面内にドラッグ

何百ページもあるような
マニュアルPDFで、目
次ページだけ素早く確
認できるようにしたいな
ら、Slide Overを使うと
便利。PDF Expertで
マニュアルPDFを開い
たら、DockからPDF
Expertのアイコンを画
面内にドラッグして指を
離そう。

2 Slide Over側で 目次などを表示する

目次など常に確認
したいページを表
示しておく

Slide Over側の画面でも同じマニュアルPDFを開
き、目次ページなどの常に確認したいページを開い
ておこう。

3 必要なときだけ 表示できる

右にスワイプすると消
える。右端から左にス
ワイプすると再表示

Slide Overの画面は、必要ないときにさっと右スワ
イプで消せるのが便利なところ。また目次を確認し
たくなったら、画面右端から左にスワイプすればよ
い。

使いこなし
ヒント

同じPDFを2つの画面で編集するとどうなる?

同じPDFを2つの画面で開き、片方の画面で注釈などを書き込むと、もう片方の画面にも即
座に書き込み内容が反映される。どちらの画面で編集したかは関係なく、取り消しボタンを
タップすると、最後に行った操作から取り消されていく。

ファイルをドラッグ&ドロップで手軽に整理する

1 | PDF Expertを2画面同時に起動する

PDF Expertを2画面同時に起動することで、ファイルの整理もドラッグ&ドロップで簡単にできる。まずSplit Viewなどで、PDF Expertの画面を2つ開こう。

2 | ファイルを選択して片方の画面にドロップ

ファイルをドラッグ&ドロップ

片方の画面で移動したいPDFファイルやフォルダを複数選択したら、そのままもう片方の画面で開いたフォルダにドラッグ&ドロップする。

3 | 2つの画面をまたいでファイルを移動できた

このように、2つの画面をまたいでファイルを移動できる。1画面でファイルを移動するよりも手軽なので覚えておこう。

使いこなしヒント

PDF内の画像などはドラッグで移動できない

左右両方の画面で編集モードにし(P160で解説)、片方のPDF内の画像をドラッグしても、そのままもう片方のPDFに移動することはできない。画像をタップしてポップアップメニューからコピーし、もう片方のPDF内に貼り付けるようにしよう。

PDFのページを編集する

PDF Expertの有料版で本格的なページ編集を行う

PDFで受け取った資料から一部だけ抜き出して他の人に渡したり、複数のPDFファイルを一つにまとめて送りたいこともあるだろう。そんな時もPDF Expertの出番だが、残念ながら無料版ではこうした操作ができない。サブスクリプション契約を済ませ有料版へ移行して、PDFページの編集機能を使えるようにしよう。PDFファイルを開いて、左上の4つの四角ボタンをタップすると、ページ一覧画面が表示される。この画面でページを選択すると、上部のメニューで、ページの追加や削除、抽出、コピー、ペーストといった編集が可能だ。またページ順の並べ替えも、ドラッグ&ドロップで簡単に行える。他のPDFファイルからコピーしたページを貼り付けたり、複数のPDFファイルを結合することも可能だ。有料版の年額は5,400円と少し高いが、こうしたページ編集を仕事で使うことが多いなら、契約しておいて損はない。

PDF ExpertでPDFファイルを開いたら、左上の4つの四角ボタンをタップしよう。ページの一覧がサムネイルで表示される。PDFのページ操作はこの画面で行う。

PDFページの追加や削除、並べ替えを行う

1 | ページのコピーや削除を行う

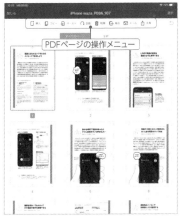

PDFページの操作メニュー

サムネイル画面を開くと、選択したページの操作を上部メニューで行える。コピーやペースト、回転、抽出、削除といったボタンが用意されている。

2 | 新しいページを追加する

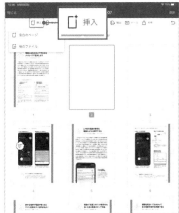

新しいページは「挿入」ボタンで追加できる。「空白のページ」で空白／罫線／方眼紙ページを追加。「他のファイル」は他のPDFファイルから追加。

3 | 複数ページを選択する

右上の「選択」ボタンをタップすると、複数ページの選択モードになる。選択するページをタップしていこう。上部メニューでまとめて操作できる。

4 | ドラッグ&ドロップでページ順を並べ替える

ドラッグ&ドロップでページを移動

ページをロングタップするとそのページが浮き上がり、ドラッグ&ドロップでページ順の並べ替えができる。

コピーしたページを他のファイルに追加する

1 上部メニューから ペーストをタップ

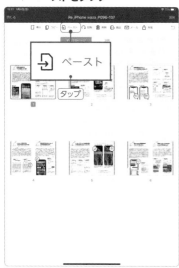

コピーしたページを他のPDFファイルに追加するには、追加したいページのサムネイル画面で、上部メニューの「ペースト」をタップ。

2 表示された空欄 をタップ

現在選択中のページの後ろに「タップしてページをペースト〜」という空欄が表示されるので、これをタップする。

3 コピーしたページが 追加された

空欄の位置に、コピーしておいたページが挿入された。ドラッグ&ドロップでページの入れ替えが可能だ。

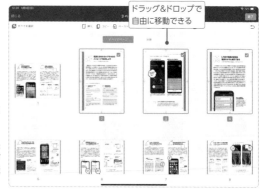

ドラッグ&ドロップで自由に移動できる

PDFファイルを結合する

1 | ファイル画面で選択ボタンをタップ

タップ

PDFのページ単位ではなく、PDFファイル全体を結合したい場合は、まずファイルの一覧画面右上の選択ボタンをタップする。

2 | ファイルを選択して結合する

タップ

複数ファイルをタップして選択し、サイドメニューの「結合」をタップすれば、選択したPDFファイルが一つに結合され、新しいPDFファイルとして保存できる。

使いこなし
ヒント

無料でページ編集するならPDF Viewer Pro

PDF ExpertでPDFページの編集を行うには、年額5,400円のサブスクリプション契約が必要だが、P164で紹介する「PDF Viewer Pro」なら、ページを入れ替えたり、複製したり、抽出するといったPDFのページ編集を無料で行える。ただし、他のPDFファイルからページを貼り付けたり、結合するのは、PDF Viewer Proでも有料機能だ。

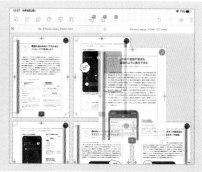

PDF内の文章や
画像を編集する

リンクの追加や機密情報の墨消し機能も利用できる

　P156で解説したPDFのページ編集と同様に、PDF Expertの有料版で使えるようになるのが、PDF内のテキストや画像の編集機能だ。PDFの書類内に誤字脱字を発見したり、取引先の住所が変わったといった場合に、iPadだけでサッと内容を修正できるようになる。編集ツールを利用するには、PDFファイルを開いて、上部メニューの「PDFを編集」をタップしよう。「テキスト」ツールを選択すると、PDF内の文章の書き換えや追記ができる。「画像」ツールでは、画像の差し替えやサイズ変更などを行える。「リンク」ツールでは、テキストや画像をタップした際に、書類内の別のページやWebサイトにジャンプするようリンクを追加可能。さらに「墨消し」は、他の人に書類を送る時に機密情報が見られないよう、テキストの一部をベタ塗りで隠したり、消去することができる重要な機能だ。

内容の変更も
自由自在

PDFファイルを開いて「PDFを編集」タブを開くと、PDF内のテキストや画像の編集モードになる。テキスト、画像、リンク、墨消しの編集が可能だ。

PDF内のテキストを編集する

1 | テキストの編集モードにする

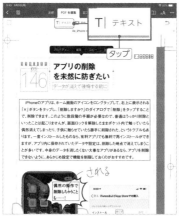

上部の「テキスト」ツールをタップすると、テキストの編集モードになる。PDF内のテキストをタップして選択すると、メニューが表示される。

2 | PDF内の文章を書き換える

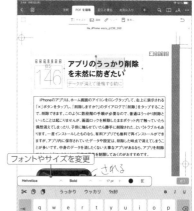

「編集」をタップすると、PDF内のテキストを書き換えることができる。キーボード上部のメニューで、フォントやサイズの変更も可能。

3 | フォントやサイズをまとめて変更する

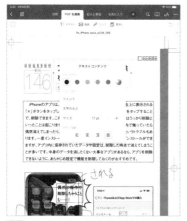

選択したテキストのフォントやサイズをまとめて変更するには、「プロパティ」をタップすればよい。

4 | テキストの表示を段落/行ごとに変更

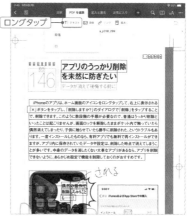

「テキスト」ツールをロングタップすると、テキストの表示を段落ごと、または行ごとに変更できる。

PDF内の画像を編集する

1 画像の編集モードにする

上部の「画像」ツールをタップすると、画像の編集モードになる。PDF内の画像をタップして選択すると、画像の置き換えや削除を行える。

2 ドラッグ&ドロップで画像を移動する

画像をタップしたままドラッグ&ドロップすると、画像をPDF内の好きな位置に移動することができる。

3 画像のサイズを変更する

画像を選択し、四辺に表示された青い丸ボタンをドラッグすると、画像のサイズを自由に変更できる。一部だけ切り取るトリミングも可能。

4 PDF内に画像を挿入する

画像ツール選択時にPDF内をタップすると、その場所に画像を挿入できる。写真やアルバムから、貼り付ける画像を選択しよう。

テキストや画像にリンクを追加する

1 | リンクツールで リンク元を選択

上部の「リンク」ツールをタップし、リンクさせたいテキストや画像を選択したら、上部メニューの「移動先」をタップ。

2 | リンク先のページや Webを指定する

タップした際に表示する、「ページ」または「Web」を指定しよう。リンク先のページはサムネイルから選ぶか、ターゲットピッカーで選択できる。

機密情報を墨消しする

1 | 墨消しツールで モードを選択

書類を送る際に内容の一部を隠したい場合は、墨消しまたは消去できる。上部「墨消し」ツールをロングタップし、モードを選択しよう。

2 | PDFの内容の 一部を隠す

PDF内で隠したい箇所をドラッグすると、選択した範囲を墨消ししたり、消去することができる。

PDFの仕事技[6]

無料で使えるおすすめ
PDFアプリを利用しよう

PDFページの編集も無料でできる

P144から紹介している「PDF Expert」は優秀なPDFアプリだが、PDFの
ページや内容を本格的に編集するには、年額5,400円という安くない金額を支
払う必要がある。無料でPDFを編集したいなら、「PDF Viewer Pro by
PSPDFKit」を使ってみよう。「PDF Expert」の無料版ではできない、PDFペー
ジの並べ替えや新規ページの追加などができる。注釈機能も「PDF Expert」と
比べて遜色なく、指を反応させずにApple Pencilでのみ注釈を書き込める機能
なども備えていて便利だ。ただし、やや動作が重いことがあるので、PDFに注釈を
書き込むだけなら、動作が軽く安定している「PDF Expert」の方が快適に作業
できる。また、他のPDFファイルを結合したり、他のPDFファイルのページをコピー
して挿入するといった編集を行うには、3か月800円または年間2,300円のPro
機能の購入が必要だ。

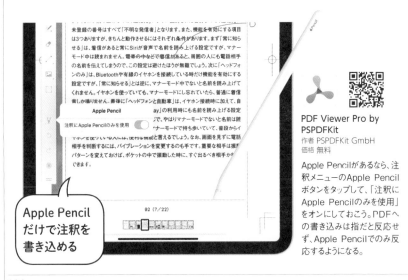

**Apple Pencil
だけで注釈を
書き込める**

PDF Viewer Pro by
PSPDFKit
作者 PSPDFKit GmbH
価格 無料

Apple Pencilがあるなら、注
釈メニューのApple Pencil
ボタンをタップして、「注釈に
Apple Pencilのみを使用」
をオンにしておこう。PDFへ
の書き込みは指だと反応せ
ず、Apple Pencilでのみ反
応するようになる。

PDF Viewer Pro by PSPDFKitの基本操作

1 | ブラウズ画面で フォルダを開く

各サービスやiPad内から PDFファイルを開く

メイン画面を左から右にスワイプしてサイドメニューを開くと、「場所」欄に表示されたクラウドやアプリからPDFファイルを開くことができる。「PDF Expert」内のPDFも参照できる。

2 | ペンとマーカーで PDFに書き込む

マーカーの不透明度を100%にして2本目のペンに

上部メニューの鉛筆ボタンで注釈モード。ペンツールはペン1本とマーカー1本が用意されているが、マーカーの不透明度を不透明度を100%にして太さを調整すれば、2本目のペンとして利用できる。

3 | PDFページを 編集するには

PDFファイルを開いたら、画面右上の四角が4つ集まったボタンをタップするとページ一覧画面が表示されるので、続けて隣の編集ボタンをタップしよう。PDFページの編集モードになる。

4 | ページの入れ替えや 追加、削除ができる

新規ページの追加、削除、コピー、回転、抽出などのメニュー

ロングタップしてドラッグでページ順を入れ替え

ページをロングタップすると、ドラッグして表示順を入れ替えできる。また上部メニューで新規ページの追加、削除、コピー、回転、抽出などを行える。「P」が付いたボタンはPro版の機能。

メール添付のPDFに
サクッと指示を加える

マークアップ機能で書き込んでそのまま返信できる

　メールで受け取ったPDFファイルに、ちょっとした指示を書き込んで返信したいだけなら、iPadOS標準のマークアップ機能を使えば簡単だ。まず、メールアプリで受信メールを開き、添付されたPDFをタップして開く。続けて、右上にある鉛筆型のマークアップボタンをタップすると、下部にペンツールが表示され、PDF内に自由に手書き指示を書き込める。あとは「完了」→「全員に返信」をタップすれば、指示を書き込んだPDFを添付した状態で返信メールを送信できる。このように、標準機能だけで非常に手軽に返信できるが、マークアップ機能はペンの種類も少なく、あまり細かな指定はできない。もっと細かく書き込みたい時は、右上の共有ボタンから「PDF Expert」をタップし、PDF Expertで編集を加えた上で返信メールを作成しよう。

添付されたPDFファイルにマークアップを使う

1 │ 添付のPDFファイルを
タップして開く

メールに添付されたPDFに指示を書き込むには、まず添付のPDFファイルをタップしてプレビュー表示しよう。

2 │ マークアップボタン
をタップする

右上のマークアップボタンをタップすると、マークアップ機能でPDFファイル内に書き込みができるようになる。

マークアップで注釈を入れてそのまま返信する

1 | ペンツールで指示を書き込む

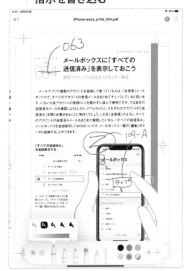

下部のツールでペンの種類、色、太さ、透明度を切り替えて、PDF内に指示を書き込もう。直線を引くための定規ツールも用意されている。

2 | 全員に返信をタップ

書き込んだPDFを添付して相手に返信するには、左上の「完了」→「全員に返信」をタップする。

3 | 注釈を入れたPDFを添付して送る

注釈を入れたPDFが添付された状態で、返信メールの作成画面が開く。本文を追記して、右上の送信ボタンで送信しよう。

オフィス文書を
PDF化する

相手に送る時はレイアウトの崩れないPDF形式で

　WordやExcelで作成した書類をそのまま相手に送ると、相手のバージョンによってはレイアウトが崩れて表示される場合があるし、そもそもWordやExcelを閲覧できる環境がない場合がある。そんな時は、WordやExcelをPDF形式に変換した上で相手に送ろう。PDFファイルならほとんどのデバイスで問題なく表示でき、レイアウトが崩れることもない。公式のWordやExcelアプリ（P110で紹介）を使えば、PDF形式に簡単に変換できるが、画面サイズが10.2インチ以上のデバイスで編集機能などを使うには、Microsoft 365のサブスクリプション契約が必要となっている。現行のiPad Pro、iPad Air、iPadはすべて10.2インチ以上なので、WordやExcelファイルのPDF変換機能も有料だ。画面サイズが9.7インチの旧モデルを持っているなら、無料でPDF形式に変換できる。

PDF変換機能は
基本的に有料

Microsoft Word
作者 Microsoft Corporation
価格 無料

Microsoft Excel
作者 Microsoft Corporation
価格 無料

WordやExcelアプリでオフィス文書をPDF化するには、Microsoft 365の契約が必要（旧モデルの9.7インチiPad Pro、iPad Air、iPadなら無料）。まずは左下の「プレミアムに移行」ボタンをタップし、Microsoft 365のサブスクリプション契約を済ませよう。最初の1ヶ月は無料で試用できる。

WordやExcel文書をPDFに変換する

1 エクスポートで PDFを選択

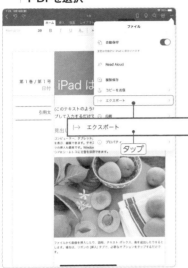

PDF化したいオフィス文書を開いたら、右上の「…」ボタンをタップし、続けて「エクスポート」→「PDF」をタップ。

2 保存先を指定して PDF形式に変換

ファイル名を付け、「自分のiPad」や「ファイルアプリ」などから保存先を選択したら、右上の「エクスポート」でPDF形式に変換できる。

変換したPDFファイルを確認する

PDFに変換するとWordやExcelアプリからは見えないので、ファイルアプリで保存先を開こう。「自分のiPad」に保存した場合は、サイドメニューの「このiPad内」にある、「Word」や「Excel」フォルダに保存されている。あとはPDFファイルを開いて、共有メニューから取引先の相手にメールなどで送ればよい。

Webサイトを
PDF化する

Safariの標準機能でPDF化できる

Safariで表示中のWebサイトなら、PDF Expertなどのアプリを使わなくても、iPadOS標準機能でPDF形式に変換して保存できる。画面に表示されてない部分も含めて、丸ごと1つのページとして保存することが可能だ。まずPDF化したいWebサイトをSafariで開いたら、上部の共有ボタンから「マークアップ」をタップしよう。この操作だけで、WebサイトがPDF形式に変換されて表示される。あとは、左上の「完了」→「ファイルを保存」をタップして、iPad内やクラウド、PDF Expertのフォルダ内など、好きな場所に保存すればよい。保存する前に、マークアップ機能で注釈を書き込むこともできる。

1 | Safariでマークアップをタップ

SafariでPDF化したいWebサイトを開いたら、上部の共有ボタンから「マークアップ」をタップしよう。

2 | PDF化されたページを保存する

Webサイトが、スクロールしないと表示されない部分も含めてPDF化された。左上の「完了」→「ファイルを保存」で、好きな場所に保存できる。

PDFに閲覧用パスワードを設定する

PDF ExpertでPDFファイルを暗号化しよう

重要なPDFファイルには、うっかり他人に見られないように、パスワードを設定しておこう。有料のサブスクリプション契約を済ませたPDF Expertであれば、PDFファイルに個別にパスワードを設定しておける。パスワードを設定したPDFファイルは、PDF Expert上だけでなく、他のアプリやパソコンなど別のデバイスで開く際にも、パスワードの入力が求められるようになる。また、サムネイルも生成されなくなるので、PDFの一覧画面などで中身が見られる心配もない。すべてPDFファイルに設定する必要はないが、社外秘の機密書類などは、しっかりパスワードで保護しておこう。

1 パスワード設定をタップ

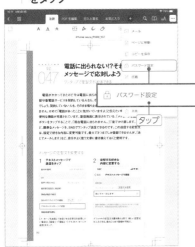

PDF Expertでパスワード保護したいPDFファイルを開いたら、右上の「…」→「パスワード設定」をタップ。

2 パスワードを設定する

好きな桁数のパスワードを入力して「設定」をタップ。以降は、このPDFファイルを開く際にパスワードの入力が求められる。

C O L U M N

iPadとiPhoneの
連携機能を利用する

iPadとiPhoneの両方を持っているユーザー
は、ぜひここで解説する連携機能を使ってみよ
う。作業を相互に受け渡したり、iPadでiPhone
の電話に応答するなど、2つのデバイスをシーム
レスにつなぐ便利な機能ばかりだ。

HandoffでiPhoneと作業を相互に引き継ぐ

iPadOSおよびiOSには、双方の端末でやりかけの作業を引き継げる、「Handoff」機能が搭載されている。例えば、移動中にiPhoneで書いていたメールを、帰宅してからiPadで開いて続きを書く、といったことが簡単にできるのだ。アプリ側がHandoffに対応している必要があるが、Appleの純正アプリであれば問題なく利用できる。なお、本機能を使うには、同じApple IDを使ってiCloudにサインインしており、BluetoothとWi-Fiの両方がオンになっていて、「設定」→「一般」→「AirPlayとHandoff」→「Handoff」がオンになっている必要がある。

1 | Handoffが使えるよう設定しておく

オンにする

iPadとiPhoneの双方で、同じApple IDを使ってiCloudにサインインし、BluetoothとWi-Fiの両方をオン。さらに、「設定」→「一般」→「AirPlayとHandoff」→「Handoff」をオンにする。

2 | Dockにアイコンが表示される

タップしてiPadで作業を再開する

iPhoneでメールを作成すると、iPadのDockには、Handoffのマークが付いたメールのアイコンが表示される。これをタップすればすぐに作業の引き継ぎが可能だ。

使いこなしヒント

iPadからiPhoneへ引き継ぐ場合は?

iPadの作業をiPhoneで引き継ぎたい場合は、iPhone側でAppスイッチャー画面を表示しよう。画面の下の方にiPadで作業中のアプリ名のバナーが表示されるので、これをタップすれば、作業を引き継いで再開できる。

iPhoneにかかってきた電話に iPadで応答する

　iPhoneに電話がかかってきたけど隣の部屋にある……という時は、わざわざ取りにいかなくても、iPadで応答できるので覚えておこう。いくつか設定が必要で、まず両方の端末で同じApple IDでサインインしており、同じWi-Fiネットワークに接続する必要がある。またiPhone側では、「設定」→「電話」→「ほかのデバイスでの通話」→「ほかのデバイスでの通話を許可」をオンにし、その下の端末一覧でiPadのスイッチもオンにする。iPad側では、「設定」→「FaceTime」→「iPhoneからの通話」をオンにしておこう。

1 iPhone側の通話設定

iPhoneでは「設定」→「電話」→「ほかのデバイスでの通話」→「ほかのデバイスでの通話を許可」をオン、その下「通話を許可」の「iPad」もオンに。

2 iPad側の通話設定

iPadでは「設定」→「FaceTime」→「iPhoneからの通話」をオンにしておく。これで、iPhoneにかかってきた電話がiPadでも着信し、手元のiPadで応答できるようになる。

使いこなしヒント

FaceTime着信は応答する端末の使い分けもできる

FaceTime通話を着信した場合も、同じApple IDでサインしていれば、iPhoneとiPadの両方で着信音が鳴る。ただFaceTimeの場合は、iPhoneとiPadで着信用アドレスを変えておくことで、相手によって応答する端末を使い分けることも可能だ。

iPadでもSMSのメッセージを
チェックする

　iPadは仕様上SMSが使えないが、iPhoneを持っているなら話は別。iPhoneに届いたSMSを転送して、iPadで送受信することができるのだ。iPadを使っている時にわざわざiPhoneを取り出してSMSを確認しなくて済むので、設定しておくと便利だ。まず、iPhoneと同じApple IDでサインインを済ませ、メッセージの着信用の連絡先にiPhoneの電話番号を登録。あとはiPhone側で「設定」→「メッセージ」→「SMS/MMS転送」をタップし、iPad名のスイッチをオンにしておけば、iPhone経由でSMS（およびMMS）の送受信ができる。

1 iPad側の メッセージ設定

iPadで「設定」→「メッセージ」を開き、Apple IDでサインイン。「送受信」をタップして、送受信アドレス欄のiPhoneの電話番号にチェックしておく。

2 iPhone側の メッセージ設定

iPhoneでは「設定」→「メッセージ」→「SMS/MMS転送」をタップし、iPad名のスイッチをオンにしておく。

使いこなし
ヒント

メッセージをiCloudに保存して同期するには

iPadでもSMSをやり取りするなら、メッセージの同期を有効にしておこう。iPhoneとiPadの両方で、「設定」一番上のApple IDを開き、「iCloud」→「メッセージ」をオンにする。これでiCloudにメッセージの履歴全体が保存され、最新の状態で同期するようになる。

iPhoneとクリップボードを共有する

　iPhoneとiPadを両方持っている人は、「ユニバーサルクリップボード」機能でクリップボードを共有できる事を知っておくと、さまざまな作業がはかどる。例えば、長文入力が楽なiPadで文章を仕上げてコピーすれば、iPhone側ではメールアプリなどにすぐ貼り付けできる。また、iPhone内にしかない写真をiPadのメモに貼り付けたい場合も、iPhoneで写真をコピーして、iPadのメモに貼り付けるだけでいい。P173で紹介した「Handoff」が使える状態なら、ユニバーサルクリップボード機能も使えるようになっている。

1 Handoffが使えるよう設定しておく

iPadとiPhoneの双方で、同じApple IDを使ってiCloudにサインインし、BluetoothとWi-Fiの両方をオン、「設定」→「一般」→「AirPlayとHandoff」→「Handoff」をオンにする。

2 iPadでコピーしてiPhoneにペースト

iPadでコピーしたテキストや写真は、iPhone側で「ペースト」をタップするだけで貼り付けることができる。

使いこなし
ヒント

Macともクリップボードを共有できる

iPhoneやiPadだけでなく、Macともクリップボードを共有できる。Macの場合は、同様に同じApple IDでサインインし、BluetoothとWi-Fiをオンにし、Appleメニューから「システム環境設定」→「一般」→「このMacとiCloudデバイス間でのHandoffを許可」にチェック。

iPhoneのモバイルデータ通信を使ってネット接続する

　Wi-FiモデルのiPadを外出先でネット接続するには、Wi-Fiスポットやモバイルルルータが必要となる。しかしiPhoneを持っていて、iPhoneで契約している通信キャリアでインターネットの共有機能（テザリング）が使える設定になっていれば、iPhoneのモバイル回線を経由してiPadをネット接続することが可能だ。iPhoneとiPadのテザリングは「Instant Hotspot」機能により、パスワードも不要でワンタップ接続できる。またiPhoneとの接続時は自動で省データモードになり、一定時間通信が行われないとテザリングは自動でオフになる。

1 | Instant Hotspotが使えるよう設定する

同じApple IDでサインインし、BluetoothとWi-Fiをオンに

まず通信キャリアのテザリング契約が必須。またiPadとiPhoneの双方で、同じApple IDを使ってiCloudにサインインし、BluetoothとWi-Fiをオンにする。

2 | Wi-Fi設定画面でiPhone名をタップ

タップ

iPadの「設定」→「Wi-Fi」→「インターネット共有」欄にiPhone名が表示される。これをタップするだけで、iPhoneの回線を経由してiPadをネット接続できる。

使いこなしヒント

テザリング時は自動で省データモードになる

iOSデバイス同士でテザリング接続すると、自動で「省データモード」が有効になり、自動アップデートや写真の同期が一時停止される。「設定」→「Wi-Fi」でテザリング接続中の「iPhone」をタップすると、省データモードを手動でオフにできる。

Androidの
モバイル
データ通信を
使ってネット
接続する

P177で解説したテザリングによるインターネット共有は、iPhoneとiPadの組み合わせだけで使える機能ではない。通信キャリアとテザリング契約を済ませたAndroidスマートフォンを持っていれば、Androidスマートフォンのモバイル回線を利用して、iPadをネット接続することが可能だ。ただし「Instant Hotspot」機能には対応しないので、ワンタップで手軽に接続できるわけではない。あらかじめAndroid側でテザリング機能を有効にし、パスワードを設定した上で、iPad側でパスワードを入力して接続する必要がある。

1 | Androidデバイスで テザリングをオン

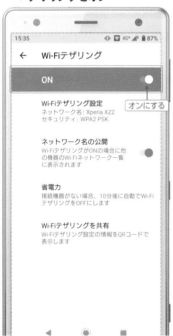

機種によって若干設定が異なる場合があるが、「設定」→「ネットワークとインターネット」→「テザリング」で「Wi-Fiテザリング」をオンにしておく。

2 | ネットワーク名と パスワードを設定

続けて「Wi-Fiテザリング設定」をタップし、ネットワーク名(SSID)とパスワードを設定しておこう。どちらも自分で好きなものに設定できる。

3 | iPad側でパスワード を入力して接続

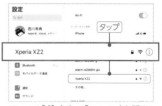

iPadで「設定」・「Wi-Fi」を開き、Androidで設定したネットワーク名をタップする。続けてパスワードを入力し、「接続」をタップすればよい。

クラウドと
ファイル管理
の仕事技

パソコン上のファイルをいつでもiPadで扱えるようにする

Dropboxでデスクトップなどを自動バックアップしよう

　会社のパソコンに保存した書類をiPadで確認したり、途中だった作業をiPadで再開したい場合は、クラウドサービスのDropboxを利用しよう。特に、仕事上のあらゆるファイルをデスクトップ上に保存している人は、Dropboxの「パソコンのバックアップ」機能をおすすめしたい。パソコンのデスクトップ上のフォルダやファイルが丸ごと自動同期されるので、特に意識しなくても、会社で作成した書類をiPadでも扱えるようになる。ファイルは更新された時点ですぐに同期が開始されるので、PDFに手書きで注釈を入れたい時だけiPadで開いて作業し、注釈が反映されたPDFをパソコンで開き直して編集を再開するといった使い方もできる。なお、Dropboxは無料プランだと2GBしか使えないので、デスクトップに大量のファイルを保存していると、あっという間に容量が足りなくなる。デスクトップ上のファイルサイズを気にしながら利用するか、思い切って2TBまで使える有料プランに加入しよう。

1 | パソコンにDropboxをインストールする

まずパソコンのWebブラウザでhttps://www.dropbox.com/installにアクセスし、インストーラをダウンロード。インストーラを実行して、Dropboxのインストールとログインを済ませよう。

2 | Dropboxフォルダが作成される

デフォルトでは、C:\Users\ユーザー名に「Dropbox」フォルダが作成される。このフォルダに保存したファイルは、自動的にクラウド上のDropboxと同期される。

無料プランの接続台数制限を回避する

Dropboxの無料プランでは3台までしか同期できない制限があるが、これはDropbox公式アプリで接続した場合。「Documents」（P184で解説）などのアプリからアクセスすれば、台数制限は関係ない。

Dropboxの「パソコンのバックアップ」機能を設定する

1 Dropboxの基本設定を開く

システムトレイにあるDropboxアイコンをクリックし、右上のユーザーボタンで開いたメニューから「基本設定」をクリックする。

2 バックアップの設定ボタンをクリック

Dropboxの基本設定画面が開くので、「バックアップ」タブをクリック。続けて「このPC」欄にある「設定」ボタンをクリックしよう。

3 「デスクトップ」にチェックする

Dropboxで自動同期するフォルダを選択する。仕事の書類をデスクトップのフォルダで整理しているなら、「デスクトップ」だけチェックを入れて「設定」をクリック。指示に従って設定を進めよう。

4 バックアップフォルダが作成される

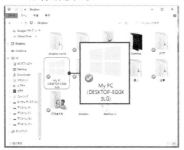

Dropboxの「My PC（デバイス名）」→「Desktop」フォルダに、パソコンのデスクトップにあるファイルやフォルダがすべて同期される。同期したフォルダ内のファイルを削除すると、Dropboxとパソコンの両方から削除されるので注意。

1 Dropbox公式アプリ でアクセスする

「My PC」をタップ

iPadでDropboxの公式アプリ起動し、「My PC」を開くと、会社のパソコンでデスクトップなどに保存した書類を確認できる。テキストはアプリ内で直接編集できるが、PDFやWord、Excelなどの編集は対応アプリで開く必要がある。

2 「ファイル」アプリ でアクセスする

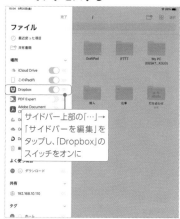

サイドバー上部の「…」→「サイドバーを編集」をタップし、「Dropbox」のスイッチをオンに

公式アプリをインストール済みだと、標準の「ファイル」アプリのサイドバーにも「Dropbox」を追加してアクセスできる。多くの標準アプリやiCloudと連携できるようになり、マークアップ機能でPDFや画像に直接書き込むことも可能だ。

3 サードパーティ製アプリで アクセスする

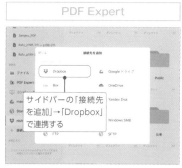

サイドバーの「接続先を追加」→「Dropbox」で連携する

P144の「PDF Expert」やP184から紹介する「Documents」は、Dropboxの公式アプリを使わなくてもDropboxと連携できるため、接続台数の制限は関係ない。Dropbox内のPDFファイルに直接注釈を入れたり編集することもできる。

「設定」→「ストレージアカウント」→「ストレージアカウントの追加」→「Dropbox」で連携する

P110で紹介している「Word」や「Excel」も、Dropboxの公式アプリ不要で連携が可能だ。Office 365のサブスクリプション契約を済ませれば、Dropbox内のオフィス文書を直接編集できる（9.7インチの旧iPadは無料で編集可能だ）。

Dropboxの容量を追加購入する

1 Web版Dropboxで アップグレードする

> アップグレード

> SafariでDropboxにログインし、右上のユーザーボタンから「アップグレード」をタップ

Dropboxの容量制限を超えると「パソコンのバックアップ」による自動同期は停止する。無料プランの容量2GBで使い続けるのが厳しい場合は、有料プランに加入しよう。iPadの公式アプリで購入すると割高な月額料金しか選べないので、Web版Dropboxで年間払いの購入がおすすめ。

2 プランを選択して 購入する

あなたの使い方にあった **Dropbox** がありま す

> 「Plus」か「Professional」プランを選択

個人向けの有料プランとしては、容量2TBで14,400円／年（税抜）の「Plus」か、容量3TBで24,000円／年（税抜）の「Professional」が用意されている。有料プランを購入すると、公式アプリで接続できるデバイス数の制限もなくなる。

使いこなしヒント iCloudやGoogleドライブでもデスクトップなどを同期できる

iCloudの同期機能を利用する

> チェックすると、iCloudドライブ上に「デスクトップ」と「書類」フォルダが作成され自動で同期する

Macのデスクトップや書類フォルダのファイルをiPadで扱いたいなら、iCloudで同期した方が簡単。Macで「システム環境設定」→「Apple ID」→「iCloud」を開き、「iCloud Drive」の「オプション」ボタンをクリック。「"デスクトップ"フォルダと"書類"フォルダ」にチェックしよう。

Googleドライブの同期機能を利用する

> 自動で同期したいフォルダにチェック。「フォルダを選択」で任意のフォルダを追加できる

Googleドライブでも自動同期の設定が可能だ。パソコンにGoogleドライブの「バックアップと同期」をインストールして設定を開き、「マイパソコン」画面で自動同期するフォルダを選択しよう。デスクトップやドキュメントだけでなく、任意のフォルダ選んで自動で同期できる。

iPadで扱うファイルは
すべてDocumentsで管理しよう

標準の「ファイル」より便利なファイル管理アプリ

　iPadには、端末内のファイルを管理するための「ファイル」アプリが標準で用意されている。iCloudや他の標準アプリとの親和性も高く、iPadをパソコンライクに使えるようになる便利なアプリなのだが、クラウドサービスの公式アプリをインストールしないとクラウドにアクセスできないため、Dropboxを使う場合は接続台数制限にひっかかりやすい。また、ZIP以外の圧縮解凍に非対応だったりと、やや機能的に物足りない部分がある。そこで、iPadで扱う仕事データの管理は、より多機能な「Documents」にまかせてしまおう。主要なクラウドサービスだけでなくFTPサーバなどにも接続でき、内蔵ブラウザでファイルのダウンロードも可能。操作性も直感的で分かりやすい。さまざまなファイル形式を表示できるマルチビューアとしても優秀だ。まずは、メールの添付ファイルや、クラウドにアップしたファイルを、「Documents」にすべて集めて一元管理しよう。集めたファイルは、別のアプリに受け渡したり、他のユーザーと共有したり、パソコンに転送したりと、iPadが仕事データのハブとして活躍するはずだ。

Documents by Readdle
作者 Readdle Inc.
価格 無料

iPadのファイル管理には、標準の「ファイル」よりも多機能な「Documents」がおすすめ。iPadで扱う仕事ファイルはすべてこのアプリにまとめておこう。

Documentsにファイルを保存する

1 | クラウドやサーバの アカウントを追加

まずはファイルをDocumentsに集めていく。「+」ボタンや左メニューの「接続先を追加」ボタンで、クラウドやサーバを追加しよう。詳しい手順はP192以降で解説する。

2 | 追加したクラウドに アクセスする

追加したクラウドやサーバは、左メニューの「接続先」に表示される。タップするとそのクラウドやサーバに保存されたファイルが一覧表示される。

3 | ファイルを ダウンロードする

Documentsに保存したいファイルやフォルダの「…」ボタンをタップ。続けて「ダウンロード」をタップしよう。

4 | 「ダウンロード」 フォルダに保存される

「マイファイル」の「ダウンロード」フォルダにファイルが保存される。ダウンロードの進捗状況は、ファイル名下のバーで確認できる。

その他のファイルの保存方法

1 メールの添付ファイルを保存する

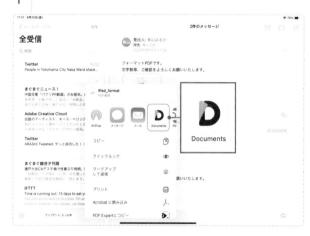

メールの添付ファイルは、ロングタップして「共有」→「Documents」で保存できる。共有メニューにアイコンがない時は、「その他」の候補から「Documents」を追加しておこう。

2 内蔵ブラウザでダウンロードする

左メニューの「ブラウザ」で内蔵ブラウザが使える。ファイルのリンクをロングタップして「リンク先をダウンロード」をタップすると、そのファイルを保存できる。

3 表示中のWebページを丸ごと保存する

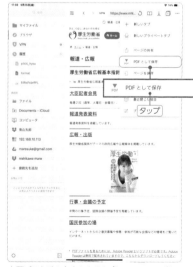

内蔵ブラウザの右上にあるオプションメニュー ボタンから「PDFとして保存」をタップすると、表示中のページをPDF形式で丸ごと保存できる。

ファイルを操作する

1 新規フォルダや ファイルの作成

画面右下の「+」ボタンをタップして、新規フォルダやPDF、テキストファイルを作成できる。カメラで撮影して書類をスキャンすることも可能。

2 ファイルを 削除する

ファイルやフォルダの「…」ボタンをタップして「削除」をタップすると、そのファイルやフォルダを削除できる。

3 ファイルを添付して メールを送る

ファイルの「…」ボタンから「メール」をタップすると、添付してメールを作成できる。フォルダの場合はZIPで圧縮して添付される。

4 ファイルを アップロードする

ファイルの「…」ボタンから「アップロード」をタップすると、追加済みのクラウドやサーバにファイルをアップロードできる。

複数のファイルを選択して操作する

1 複数のファイルを選択する

右上のチェックマークボタンをタップすると選択モードになる。複数のファイルをタップしてチェックを入れていこう。

2 複数選択したファイルを操作する

サイドメニューで操作を選択

複数ファイルを選択した時はサイドメニューが表示され、コピーや移動、削除といった操作を行える。ロングタップして左メニューにドラッグし、まとめて他のフォルダに移動することも可能。

3 iPadの標準操作でも複数選択できる

他のクラウドやフォルダにドラッグして移動できる

iPadの標準操作でも複数のファイルを選択できる。1つのファイルをロングタップして浮かび上がったら少し動かし、そのまま他の指で別のファイルを選択していこう。まとめてドラッグ&ドロップで操作できる。

4 Split Viewでファイルを渡す

ドラッグ&ドロップで貼り付け

Split Viewにも対応しているので、他のアプリにドラッグ&ドロップでファイルを受け渡せる。例えばPagesで作成中の書類に、Documentsから画像などをドラッグして貼り付けることが可能だ。

ファイルを圧縮・解凍する

1 ファイルやフォルダ を圧縮する

ファイルやフォルダの「…」→「圧縮」をタップすると、ZIP形式で圧縮したファイルが作成される。

2 複数のファイルを 圧縮する

複数のファイルを圧縮するには、ファイルを選択して、サイドメニューの「圧縮」をタップする。

3 解凍は圧縮ファイル をタップするだけ

圧縮ファイルはタップするだけで、そのファイル名が付いたフォルダが作成され中身が解凍される。ZIP以外にRARファイルの解凍も可能だ。

4 パスワード付き ZIPやRARの解凍も可能

パスワード付きのZIPやRARファイルをタップすると、入力欄が表示される。パスワードを入力して「OK」をタップすれば解凍できる。

Wi-Fi Transferでパソコンとファイルをやり取りする

パソコンとのファイルのやり取りは、P180から解説しているようにDropboxの「パソコンのバックアップ」機能で自動同期しておくのが便利だが、Dropboxで同期していないパソコンのファイルをiPadに取り込みたい場合は、Documentsの「Wi-Fi Transfer」機能を使おう。パソコンとiPadが同じネットワークに接続中であれば、Webブラウザを使って簡単にファイルを転送できる。

1 コンピュータ画面で暗証番号を確認

iPadとパソコンが同じネットワークに接続された状態で、Documentsのサイドメニューにある「コンピュータ」をタップ。表示される4桁の数字を確認する。

2 パソコンのブラウザで暗証番号を入力

パソコンのWebブラウザでhttps://docstransfer.com/にアクセスし、先程Documentsで表示された4桁の番号を入力しよう。

3 Documentsとファイルをやり取りできる

Documents内のフォルダやファイルが表示される。チェックして「ダウンロード」で保存したり、「ファイルをアップロード」でパソコンからファイルを転送できる。

FileDropでiPhoneとファイルをやり取りする

iPhoneとファイルをやり取りするなら、iOS標準のAirDropで転送するのが手軽だが、AirDropだとフォルダ単位で送ったり、種類が異なる複数のファイルをまとめて送信することができない。そこでDocumentsの「FileDrop」機能を使ってみよう。iPadとiPhone両方で同じWi-Fiに接続し、Documentsを起動しておけば、AirDropと同じような手軽さで簡単にフォルダや種類が異なるファイルをまとめて送受信できる。

1 ファイルを選択してFileDropをタップ

iPhoneにファイルを送るには、送信したいファイルやフォルダを選択した上で、サイドメニューの「FileDrop」をタップ。

2 iPhone名をタップして送信

同じWi-Fiに接続した上でDocumentsを起動していれば、iPhoneの名前が表示される。これをタップして転送しよう。

3 FileDropで送られたファイルを受信

ファイルを受信する側には、このようなメッセージが表示されるので、「受信」をタップしよう。一定時間操作しないと、送信はキャンセルされる。

DocumentsとDropboxの
フォルダを同期させる

オフラインでも「同期フォルダ」でアクセスできる

　　Documentsは、Dropbox、Google Drive、Box、OneDriveといった主要なクラウドサービスと連携できるが、各クラウドサービスのファイルには、基本的にオンラインでないとアクセスできない。しかしDocumentsには、「同期フォルダ」という便利な機能が用意されている。「同期フォルダ」は、クラウドサービスの任意のフォルダをiPad内に保存しておき、オフラインでもアクセス可能にするという機能だ。単にクラウド上のファイルをダウンロード保存しただけに見えるが、「同期フォルダ」という名前の通り、オフライン時に変更を加えたファイルは、次回オンラインになった時に自動でアップロードされる仕組みになっている。もちろん、クラウド側で変更したファイルも「同期フォルダ」側に反映される。例えばDropboxの「My PC」フォルダ（P180から解説）を同期フォルダに設定しておけば、パソコンのデスクトップやドキュメントにあるファイルを、オフライン時でもiPadで扱える。ただし、すべてのファイルをiPadに保存することになるので容量には注意しよう。

Dropboxのアカウントを追加する

1 サービス一覧から Dropboxをタップ

サイドメニューの「接続先を追加」をタップすると、Documentsにアカウントを追加できるサービスが一覧表示される。「Dropbox」をタップしよう。

2 Dropboxとの連携を 許可する

Dropboxアプリがあるなら「Dropboxアプリを開く」、ないなら「ログイン名を入力」でログインし、Dropboxとの連携を許可すれば、Dropboxアカウントが追加される。

Dropboxとの同期フォルダを作成する

1 フォルダを選択して「同期」をタップ

Dropboxにアクセスしたら、同期フォルダに設定したいフォルダを選択する。パソコンと自動同期する「My PC」（P180で解説）や、共有フォルダ（P194で解説）を同期フォルダにしておくと便利だ。選択したらサイドメニューの「同期」をタップ。

2 Documentsに同期フォルダが作成される

「同期フォルダ」のファイルはiPad内に保存されているので、オフラインでもアクセスして編集できる

マイファイルに「同期フォルダ」が作成され、同期フォルダに設定したフォルダがダウンロードされる。ローカルに保存されているので、オフラインでも自由にアクセスして編集できる。

3 オンラインになったら自動で同期する

オフライン時に編集を加えたファイルは「保留中」になる。次回オンラインになった時に、自動的にクラウドにアップロードされ同期する。

Dropboxの共有フォルダで
他のユーザーと共有する

グループでファイルを共同管理しよう

　仕事で同じファイルを他のユーザーと共有したい時に便利なのが、Dropbox
の共有フォルダ機能だ。まずはDropboxアプリをインストールして、共有したいフォ
ルダを選択し、メールアドレスなどで招待を送信しよう。招待された相手が
Dropboxで共有フォルダを追加すると、フォルダ内のファイルを共有できるように
なる。共有相手には、ファイルの編集権限を与えるか、閲覧のみ許可するかも選
択可能だ。この共有フォルダは、P192で解説しているように、Documentsとの
同期フォルダに設定しておこう。これで、iPadからはオフラインでも共有フォルダ
の中身を確認できるとともに、オンライン時はリアルタイムで同期されて、常に最
新のファイルにアクセスできるようになる。

Dropboxアプリで共有フォルダを作成

1　Dropboxアプリで 共有をタップ

Dropbox
作者 Dropbox
価格 無料

まず、Dropboxアプリで共有フォルダを作成してお
こう。他のユーザーと共有したいフォルダの、「…」→
「共有」をタップする。

2　ユーザーを追加して 共有する

メールアドレスなどを入力して「共有」をタップ。相手
が招待に応じて、共有フォルダをDropboxに追加
すれば、このフォルダの内容を共有できる。

共有フォルダをDocumentsの「同期フォルダ」に設定しておこう

1 | 共有フォルダを確認する

共有フォルダ

DocumentsでDropboxにアクセスし、共有したフォルダを確認しよう。共有フォルダには人のシルエットが表示されている。

2 | 共有フォルダを同期フォルダにする

同期

タップ

共有フォルダは「同期フォルダ」に設定しておくと便利だ。共有フォルダを選択したら、サイドメニューの「同期」をタップしておこう。

3 | 「同期フォルダ」に保存される

同期フォルダとして設定された共有フォルダ

マイファイルの「同期フォルダ」内に共有フォルダが作成される。ここで編集したファイルは、オンライン時にDropboxの共有フォルダと同期され、他のユーザーが編集した内容も反映される。

クラウド経由で大きい
ファイルを送信する

Dropboxの共有リンクや、iCloudのMail Dropで送ろう

　書類や画像などを相手に送りたい時は、数MB程度のサイズならメールに添付すればよいが、まとめて数百MBを超えるサイズになってしまうとメールには添付できない。そんな時は、ファイルを一度クラウドサービスにアップロードして、その保存先リンクを相手に知らせてダウンロードしてもらう方法が便利だ。Dropboxの場合は、公式アプリで共有したいフォルダやアプリを選び、「…」→「共有」→「リンクを作成」で共有リンクを作成できる。このリンクを受け取った相手は、Dropboxにログインしなくてもファイルの閲覧やダウンロードが可能だ。また標準のメールアプリを使っているなら、大容量のファイルもそのまま添付して送信ボタンをタップすればよい。添付ファイルのサイズが大きすぎると、「Mail Dropを使用」というメニューが表示されるのでこれをタップ。ファイルはiCloudに一時的にアップロードされ、相手にはダウンロードリンクのみが送信される。アップロードされたファイルは最大30日間保存されるので、相手は30日以内ならいつでもリンクをクリックして、ファイルをダウンロードすることができる。

Dropboxの共有
リンクで送信する

Dropboxの公式アプリで共有したいフォルダやアプリを選び、「…」→「共有」→「リンクを作成」をタップ。共有リンクがコピーされるので、メールなどに貼り付けて共有したい相手に知らせよう。

iCloudの「Mail Drop」
機能で送信する

標準メールアプリで、大容量のファイルを添付して送信ボタンをタップすると、「Mail Dropを使用」と表示される。これをタップすると、ファイルはiCloudに保存され、相手にはダウンロード先のリンクのみ送信する。

操作
自動化
の仕事技

いつもの操作をワンタップで実行するショートカット

複数の操作を一括処理して時間を節約しよう

　iPadで行う複数の操作をまとめて自動実行するための標準アプリが「ショートカット」だ。標準アプリとの連携はもちろん、TwitterやEvernote、Dropboxなど、一部の他社製アプリと連携させることもできる。まずはショートカットアプリの「ギャラリー」画面を開いてみよう。「会議中は消音にする」「自宅への経路を検索」といったショートカットが最初から用意されており、どんな事ができるかイメージできるはずだ。これらをそのまま利用してもいいし、アクションを追加したり修正して自分で使いやすいよう改良してもいいし、変数や正規表現を使ってもっと複雑な処理を行うショートカットを自作することもできる。ショートカットで省略できる時間は1回につきわずか数秒でも、積み重なれば時短の効果は絶大だし、ルーティーン操作のストレスも大きく軽減されるはずだ。

ショートカットはウィジェットなどから実行できる

ショートカットウィジェットを固定して一番上に表示

ショートカット
作者 Apple
価格 無料

ショートカットは、Siriの音声や作成したアイコン、共有メニューのほか、ウィジェットからも実行できる。iPhoneのようにホーム画面の好きな場所にウィジェットを配置することはできないが、横画面時はウィジェットをホーム画面に固定表示できるので、ショートカットのウィジェットが一番上に表示されるよう並べ替えておくと便利だ。

「ショートカット」の機能と画面の見方

1 | ギャラリーから ショートカットを取得

よく使うアプリのショートカット候補も表示される

左から右にスワイプしてサイドメニューを開き、「ギャラリー」をタップすると、あらかじめ用意されたショートカットが一覧表示される。まずはこれらのショートカットを追加して使ってみるのがいいだろう。

2 | マイショートカット で管理する

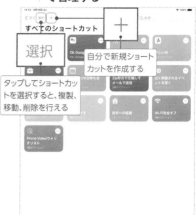

自分で新規ショートカットを作成する

タップしてショートカットを選択すると、複製、移動、削除を行える

ギャラリーから取得したショートカットは、「マイショートカット」→「すべてのショートカット」画面で管理する。上部の「+」ボタンで、自分で一からショートカットを作成することも可能。

3 | 特定条件で自動実行 するオートメーション

「オートメーション」画面では、時刻や場所、設定などの指定条件を満たした時に、自動的に実行するショートカットを作成できる。

使いこなしヒント 非公式のショートカットを取得するには

オンにする

他のユーザーが作成して公開したショートカットを、Web上から取得することも可能だ。「設定」→「ショートカット」→「信頼されていないショートカットを許可」をオンにすると取得できるが、自己責任で利用しよう。

アプリを横断する複雑な処理を ショートカットで自動化する

自分でショートカットを作成してみよう

　ここでは、P198で紹介した「ショートカット」アプリで、具体的にどんな事ができるのか、どのように作成していけばいいかを見ていこう。例えば、恒例の打ち合わせ場所が2箇所あり、どちらの場所で何時に打ち合わせするかをカレンダーに登録して、同席するメンバーにも毎回メールで知らせるとしよう。ショートカットを使えば、これら複数アプリにまたがる操作を、あっという間に処理できるようになる。「リストから選択」などのアクションや変数を利用したショートカットを実行すれば、打ち合わせ場所と日時を指定するだけで、いつものメンバーに打ち合わせの予定を一斉送信できるのだ。このような操作を一括処理するショートカットを、自分で一から作成する手順と、作成したショートカットをSiriなどを使って実行する方法を説明する。

ショートカットの構成を確認する

ショートカットの「…」をタップすると、そのショートカットがどのようなアクションで構成されているか確認できる。最初はギャラリーのショートカットをベースに、自分で他のアクションを追加していくと作りやすい。

各アクションの実行順は、ドラッグ&ドロップで入れ替えできる

自分でショートカットを作成する手順

1 「+」ボタンで新規ショートカットを作成

ここでは、打ち合わせ予定を作成してメール送信するショートカットを作成する。まず「マイショートカット」→「すべてのショートカット」画面で上部の「+」ボタンをタップ。

2 入力を要求をタップして追加

ショートカットを構成するアクションは、右欄で選択していく。上部の検索欄で「入力を要求」を検索し、タップして追加しよう。

3 質問を入力して入力の種類を選択

「プロンプト」欄に「開始時刻」と入力。続けて隣の「テキスト」欄をタップし、入力の種類を「日付と時刻」に変更しておく。

4 入力から日付を取得を追加

次に「入力から日付を取得」というアクションを検索し、タップして追加しよう。これで、「開始時刻」で入力した日付を取得できる。

5 | 終了時刻も取得するよう設定する

同じ手順で「入力を要求」を追加し、今度は「終了時刻」と入力して、種類を「日付と時刻」に設定。また「入力から日付を取得」も追加しておく。

6 | 住所アクションで1つ目の住所を入力

次に「住所」というアクションを検索してタップ。イベント作成時に複数の住所を切り替えて選択したいので、ここでは1つ目の住所を入力する。

7 | 「住所」という変数に追加する

続けて「変数に追加」を検索しタップ。「変数名」欄に「住所」と入力しよう。これで、上で入力した住所をいったん「住所」という変数に保存する。

8 | 2つ目の住所も同様に設定する

もう一度「住所」アクションを追加し、2つ目の住所を入力。「変数に追加」で、上に入力した住所を「住所」という変数に保存する。

9 リストから選択を追加する

「リストから選択」というアクションを探して追加しよう。すると、「住所」変数に保存した2つの住所から選択できるようになる。

10 新規イベントを追加を設定していく

「新規イベントを追加」を検索して追加。「明日の正午」入力欄をタップして、キーボード上部にある、魔法の杖のようなマジック変数ボタンをタップする。

11 新規イベントの開始時刻を選択

マジック変数の選択画面が表示される。「開始時刻を尋ねる」で取得した、最初の「日付」をタップして選択しよう。

12 新規イベントの終了時刻を選択

続けて、「明日の午後1時」入力欄をタップしてマジック変数ボタンをタップし、「終了時刻を尋ねる」で取得した、2番目の「日付」を選択。

13 イベントタイトルを設定する

「タイトル」入力欄をタップし、キーボード上部の変数一覧にある「毎回尋ねる」をタップ。これで、イベントタイトルは毎回入力することになる。

14 場所、カレンダー、通知を設定

続けて「表示を増やす」をタップ。まず「場所」欄は、マジック変数ボタンで「選択した項目」を選択する。「カレンダー」と「通知」も設定しておこう。

15 メールを送信を追加する

最後に、「メールを送信」アクションを検索して追加。新規イベントを送信する宛先を選択し、件名を入力しておこう。

16 ショートカットが完成した

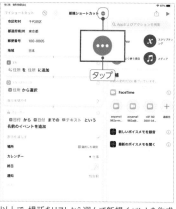

以上で、場所をリストから選んで新規イベントを作成し、そのイベントをical形式で添付してメール送信するショートカットができた。続けて上部の「…」ボタンをタップしよう。

Siriで実行できるショートカット名を入力する

1 ショートカット名を入力する

ショートカット名を付ける

「ショートカット名」欄に名前を入力しておこう。ここでは「打ち合わせ」と入力。この名前がSiriショートカットの音声コマンドも兼ねる。

2 Siriの音声で実行できるようになる

Siriに「打ち合わせ」と話しかけてみよう。作成したショートカットが実行されるはずだ。

ショートカットのアイコンをホーム画面に追加する

1 ホーム画面に追加をタップ

タップ

作成したショートカットの「…」をタップし、ショートカット名横の「…」をタップすると詳細が表示されるので、「ホーム画面に追加」をタップ。

2 アイコンが作成される

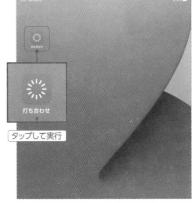

タップして実行

ホーム画面にこのショートカットのアイコンが作成される。タップするとショートカットを実行できる。

ショートカットのカラーとグリフを変更する

1 | ショートカットの アイコンをタップ

作成したショートカットは、好きな色とアイコンに変更することもできる。ショートカット名横の「…」をタップして詳細を開いたら、アイコンをタップ。

2 | アイコンの色や 種類を変更

「カラー」タブでアイコン色、「グリフ」タブでアイコンのデザインを変更できる。分かりやすいものを選んでカスタマイズしておこう。

使いこなし
ヒント

うまく動かない時は 再生ボタンでテスト

作成したショートカットがうまく動作しない時は、ショートカットの「…」をタップしてアクション一覧を開き、右上にある再生ボタンをタップしよう。現在処理中のアクションがハイライトされ、順に実行されていく。このアクションの動きを見ていくと、どこの処理でストップしているかを確認できる。設定を失敗していたら、元の画面に戻ってアクションの内容を修正しよう。

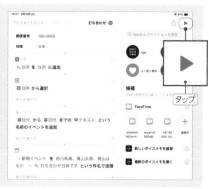

仕事に使える「ギャラリー」のショートカット

わざわざ自分でショートカットを作らなくても、「ギャラリー」には仕事に使える
ショートカットが多数用意されている。ここでは2つほど紹介するが、まだまだ便利
なショートカットは色々あるので、自分で使いやすいように内容をカスタマイズして
から追加しておこう。

勤務先到着時の
リマインダー

あらかじめメッセージを登録しておくと、会社に到着
した際にリマインダーが起動してメッセージを通知し
てくれる。

Zip形式で圧縮して
メールで送信

ファイルを選択して、共有メニューから「Zip形式で
圧縮してメールで送信」をタップすると、ZIPで添付
した上でメールの作成画面が開く。

さまざまなWebサービスを連携して自動処理するIFTTT

よく使うWebサービスを連携させよう

　Webサービスなどを連携させて、「これをしたらあれをする」を自動実行させるためのアプリが「IFTTT」（イフト）だ。面倒な操作を自動化する、という点ではP198で紹介した「ショートカット」に似ているが、機能は少し異なる。例外はいくつかあるが、ショートカットは基本的に、複数のアプリの操作をまとめて実行できる複合アプリを作成するもの。IFTTは基本的に、複数のWebサービス同士を組み合わせてWeb上で自動処理させるものだ。このため、ショートカットはウィジェットなどから手動で実行する必要があるが、IFTTTで登録したWebサービスの組み合わせ（「アプレット」と呼ぶ）は、放っておけば勝手に実行してくれるものが多い。なお、無料プランだと自作できるアプレットが最大3個までに制限されるが、他のユーザーが作成したアプレットは無制限に追加できる。主要なサービスなら、すでに誰かが便利なアプレットを作成しているので探してみよう。

まずはユーザー登録を済ませよう

1 GoogleやFacebook アカウントで登録

IFTTT
作者 IFTTT
価格 無料

IFTTTの利用にはユーザー登録が必要となる。Apple ID、Facebookアカウント、Googleアカウント、メールアドレスのいずれかで登録しよう。

2 トップ画面で 「Explore」をタップ

タップ

初回起動時はチュートリアル用のアプレットを有効にできる。トップ画面が表示されたら、下部の「Got it」→「Explore」をタップしよう。

「IFTTT」でアプレットを探して追加する方法

1 | キーワードでアプレットを検索

「Explore」画面上部に検索欄があるので、サービス名や機能をキーワードに検索しよう。日本語キーワードでも検索できる。

2 | 「Connect」を右にスワイプ

欲しいアプレットが見つかったら、タップして「Connect」を右にスワイプ。アクセス許可などを済ませれば機能が有効になる。

3 | アプレットの設定を済ませてSave

設定が必要なアプレットは、設定画面が開く。カレンダーの種類や場所などを指定して「Save」ボタンで保存しよう。

4 | トップ画面で登録したアプレットを確認

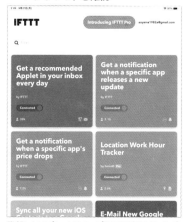

登録したアプレットは、トップ画面に表示される。自作アプレットは3つまでだが、他のユーザーが作成したアプレットなら無制限に登録可能だ。

IFTTTで利用できる
おすすめの組み合わせ

Google系サービスの連携などに便利

　P208で解説した通り、IFTTTは基本的に、Webサービス同士を連携して自動処理させるアプリだ。対応サービスも豊富で、特にショートカットでは利用できないGoogleカレンダーやGoogleドライブなどのGoogle系サービスを自動化できる点は便利だ。ただしGmailだけは、IFTTTのサポートが打ち切られており、トリガーや下書き作成のアクションが使えなくなっているので要注意。例えば、Gmailのメールを他のサービスに転送するといったことはできない。なおWebサービスだけでなく、一部のiOS(iPadOS)標準アプリや機能を呼び出すことも可能だ。ショートカットでは実行できないような自動化は、このIFTTTにまかせてしまおう。IFTTTは老舗のサービスだけにユーザー数が多く、便利なアプレットが大量に公開されている。ここでは、仕事で使えそうなおすすめアプレットをいくつか紹介する。

IFTTTから目的のアプレットを素早く探すには

1 | サービス一覧から選択できる

サービス一覧から選択

Webサービス名で検索すると、キーワードに一致するサービスを上部リストから選択できる。また「iOS」で検索すれば、iOS(iPadOS)の機能と連携するアプレットも探し出せる。記事執筆現在「iPadOS」ではヒットしないので、「iOS」で検索しよう。

2 | 日本語キーワードも使える

「LINEする」など日本語を含むキーワードでも検索でき、日本語で説明された分かりやすいアプレットを探せる。英語名だと何のアプレットか分からないなら試してみよう。

Googleカレンダーと連携するアプレット

Quickly create events in a Google Calendar

IFTTTのウィジェットから「09/18 14:00-15:00 打ち合わせ」といった書式でメモを入力してボタンをタップすると、Googleカレンダーに予定が登録される。

登録したメアドからtrigger @recipe.ifttt.com宛てに送った事柄をGoogleカレンダーに記入する!

アプレット名の通り、trigger@recipe.ifttt.comに「09/18 14:00-15:00 打ち合わせ」などとメールを送信すると、Googleカレンダーに予定が登録される。

Add a reminder to your calendar if it's going to rain tomorrow

指定した地域の天気予報で明日が雨なら、Googleカレンダーに雨を知らせるリマインダーが追加される。

Googleドライブやスプレッドシートと連携するアプレット

E-Mail New Google Drive Files

Googleドライブの指定したフォルダに新しいファイルが追加されたら、メールで知らせてくれる。共有フォルダの管理に便利。

Sync all your new iOS Contacts to a Google Spreadsheet

iOSの連絡先アプリに新しく登録された連作先が、自動的にGoogleスプレッドシートに保存されていく。取引先などの管理に活用しよう。

Location Work Hour Tracker

指定したエリアに出入りするたびに、滞在時間がスプレッドシートに記録される。会社に何時間いたか、勤務時間を計測できるアプレット。

App StoreやIFTTTの更新情報を通知するアプレット

Get a notification when a specific app's price drops

特定のアプリの価格が下がったときに、通知してくれるアプレット。設定でアプリの名前やURLを入力しておく。

Get a notification when a specific app releases a new update

特定のアプリがアップデートされた時に、通知してくれるアプレット。アプリを自動更新したくない人におすすめ。

Get a recommended Applet in your inbox every day

IFTTTのおすすめアプレットが、毎日メールで送られてくるアプレット。こまめにチェックして便利なアプレットを探そう。

ピンポイントに力を発揮するおすすめ仕事アプリ

ここでは、仕事の主力として活躍するわけではないが、あると助かる優良アプリを紹介する。クリップボードの機能を強化したり、出先でFAXやプリンタを使えるなど、ぜひ一度試して欲しいアプリばかりだ。

コピー履歴を保存して
ウィジェットから利用する

　iPadでテキストをコピーすると、以前コピーした内容は上書きされ消えてしまう。例えば、複数のURLをLINEに貼り付けたいときは、URLをコピーしてLINEに貼り付けて、またSafariに戻り別のURLをコピーして……という作業を何度も繰り返す必要がある。これを簡単にするのが「BetterClip」だ。過去にコピーした内容が履歴として残り、ウィジェットの履歴一覧からタップして簡単にコピーし直せる。複数のURLを送りたい時は、まずURLを片っ端から全部コピーし、ウィジェットから呼び出して貼り付けるのが早い。

1 | コピーした履歴が保存されていく

BetterClip
作者 YUUSUKE SASOU
価格 無料

アプリやウィジェットを開くと、クリップボードのテキストが「履歴」タブに保存されていく。履歴から選んでタップするだけで再コピーできるほか、「よく使う」「メール」「パスワード」タブに保存することも可能。

2 | ウィジェットの履歴一覧から貼り付ける

タップして再コピー。拡張機能を購入（250円）すれば10件まで表示できる

ウィジェット画面では、以前コピーしたテキストが最大4つまで一覧表示される。タップするだけで再コピーできるので、以前コピーした内容を、他のアプリなどにすばやく貼り付けることができる。

使いこなし
ヒント

ユニバーサルクリップボードの履歴も残る

P176で紹介したユニバーサルクリップボードが有効であれば、iPhoneでコピーしたテキストの履歴も、iPadのウィジェット画面から呼び出せるようになる。iPhoneで調べ物をコピーしながら、iPadでまとめて貼り付けるなど、活用の幅が広がって便利だ。

iPadだけで
書類をFAX送信する

　メールやSNSなど多様なコミュニケーションツールが普及した現代において
も、ビジネスシーンでは未だに現役で使われるのがFAXだ。会社にいるか近く
にコンビニがあればいいが、何もない出先で急にFAXを送る必要に迫られるこ
ともあるだろう。そんな時にあると便利なのが、iPadから直接FAXを送信できる
アプリ。ここでは、操作が簡単で使いやすい「ファックスFax」を紹介する。
FAXを送信するには450円／週、2,100円／月、10,200円／年のサブスク
リプション契約が必要だが、期間中なら枚数無制限で送信できる。

1　FAX番号を入力して ファイルを追加する

ファックスFax
作者 ScannerApp
価格 無料

送信するファイルを追加

送信先のFAX番号を入力し、「ファイルまたは画
像を追加」でファイルを追加または撮影したら、
「ファックスを送信」をタップ。

2　プランを選択して FAXを送信する

FAX送信のプランを450円／週、2,100円／
月、10,200円／年から選択して送信しよう。期
間中は無制限でFAXを送信できる。

使いこなし
ヒント

無料でFAXを送りたいなら「FAX.de FAX-it!」

FAXはたまにしか使わず、送信枚数も少ないのであれば、「FAX.de FAX-it!」がオススメだ。
同じくiPad単体でFAXを送信できるアプリで、1日1枚までなら無料で送信できる。「Senc
Fax」をタップして、FAX番号と送信ファイルを選択していこう。

コンビニのコピー機で
プリントアウトする

　プリンタがないのに書類を印刷しなければいけない、という時に便利なのがセブンイレブンの「netprint」サービスだ。iPadから書類や写真をアップロードし、セブンイレブンのコピー機で予約番号を入力するだけで、印刷ができるのだ。24時間使えてA3印刷も利用可能。レーザープリンタなので出力もきれいだ。出先で急に書類が必要になっても、すぐに対応できる。料金は白黒が20円から、カラーが60円からとやや割高だが、プリンタ本体とインク代を考えれば、こちらのほうがランニングコストを低く抑えられる。

1 | 印刷したい ファイルを選択

かんたんnetprint
作者 Fuji Xerox Co., Ltd.
価格 無料

タップ

右下の「＋」から、印刷したい写真や文書ファイルを選択。続けて用紙サイズやカラーモードも指定したら「登録」をタップ。

2 | 予約番号を確認 してコンビニへ

予約番号を確認

79DDSCST

NN64BYZX

BQNPKDM8

プリント予約番号を確認し、セブンイレブンのコピー機で「プリント」→「ネットプリント」を選択、プリント予約番号を入力すれば印刷が開始される。

使いこなし
ヒント

セブンイレブン以外で印刷するには

セブンイレブン以外のコンビニを使って印刷したいなら、シャープの「ネットワークプリント」アプリを使おう。ファミリーマートまたはローソン、セイコーマートで、Word／Excel／PowerPointのオフィス文書や、写真、PDFファイルを印刷できる。

iPadからパソコンを
リモート操作する

　パソコンにある資料を出先のiPadでも見たいけど、クラウドに全部保存しておく容量が足りないし、いちいちiPadにダウンロードするのも手間がかかる。iPadから会社のパソコンを自由に操作できたらいいのに……という願望を実現してくれるのが、リモートデスクトップアプリだ。中でも、接続の容易さと安定性の高さから人気のサービスが「TeamViewer」。パソコン側で専用のサーバーソフトを起動し、表示されたIDとパスワードをiPadのアプリ側に入力するだけで、iPadからパソコンを遠隔操作できるようになる。

1 | パソコンでサーバーソフトを起動しておく

TeamViewer: Remote Control
作者 TeamViewer
価格 無料

パソコン側にもTeamViewerのサーバーソフトをインストールしておき、起動。「使用中のID」と「パスワード」を確認しておく。

2 | iPad側のアプリでパソコンに接続する

iPadのTeamViewerアプリを起動し、IDとパスワードを入力すると、パソコンの画面が表示される。ドラッグでカーソルを操作しタップでクリックできるほか、キーボード入力も可能だ。

iPadにも便利な
電卓アプリを入れておく

　iPhoneと違って、iPadには「計算機」アプリが標準搭載されていない。サッと計算できないのは意外と不便なので、電卓アプリを1つインストールしておこう。おすすめは、入力した計算式がそのまま表示される「Calcbot 2」。入力ミスをまとめてクリアせずに、1文字ずつ削除できる点も使いやすい。さらにiPadで使う場合、SplitViewに対応している点もポイント。他の画面を見ながら電卓で計算できて便利だ。なお、計算結果の履歴を表示したり、単位換算や為替レート換算を使うには、有料版のアップグレードが必要になる。

1 計算式がそのまま表示される

Calcbot 2
作者 Calculator and Unit Converter
価格 無料

計算結果の下にこれまでの計算式がそのまま表示され、間違いを確認しやすい。入力ミスを1文字ずつ削除できる点も便利だ。ただし履歴の確認と再利用は有料機能だ。

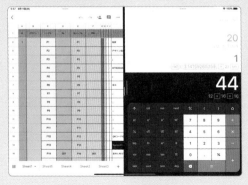

2 SplitViewにも対応している

iPadで使う場合は、Split Viewにもしっかり対応している。片方で資料を見ながら計算することが可能だ。

複数人で同時に書き込める
ホワイトボード

　会議などで活躍するのが、複数人で同じ画面に書き込めるホワイトボードアプリ「Inko」だ。一人がグループを作成してセッションを開始すると、近くにいるInkoユーザーは、特に難しい操作も必要なく参加できる。ペンの太さは3種類、カラーは12色から選択でき、ホワイトボード上を指し示すための手のアイコンなども用意されている。複数ページの作成と切り替えも可能だ。なお、無料版だと、近くのユーザーと最大5分までしか共同作業ができない。とりあえず使い勝手を試して、有料プランに移行しよう。

1 グループの作成と 他のユーザーの参加

Inko › Interactive Whiteboard
作者 Creaceed SPRL
価格 無料

タップして参加を承認

右上のコラボボタンから「新規グループを開始」をタップすると、近くのユーザーは同じ画面でグループに参加申請できる。あとはグループ作成者が承認すれば共同作業が可能になる。

2 同じホワイトボードに 書き込みできる

グループの参加者は、下部のペンツールでリアルタイムに書き込みを共有できる。左上のボタンで、新しいページの追加と切り替えが可能だ。

使いこなし
ヒント

グループ作成者のみ有料、参加者は無料

グループ作成者は、P2PまたはLANで近くのユーザーを招待するなら「ローカルプラン」（200円／月、1,080円／年）、ネット経由で遠くのユーザーを招待するなら「リモートプラン」（450円／月、3,200円／年）の契約が必要。招待された参加者は無料で接続できる。

スケジュールと タスク管理
の仕事技

標準カレンダーを
Googleカレンダーと同期する

Googleカレンダーをメインに使っている人は必須の設定

　普段のスケジュール管理をGoogleカレンダーで行っている人は、iPadとGoogleカレンダーを同期しておこう。まずは「設定」→「カレンダー」→「アカウント」→「アカウントを追加」でGoogleアカウントを設定しておく。これにより、iPadの標準カレンダーアプリがGoogleカレンダーと同期されるようになるのだ。また、この設定をあらかじめ済ませておけば、一般的な他社製カレンダーアプリでも、標準カレンダーアプリを介してGoogleカレンダーとの同期が可能となる。カレンダーのデータ自体はGoogleカレンダーと同期しつつ、インターフェイスとしてのカレンダーアプリは自分の使いやすいアプリを使う、といった運用方法もできるので便利だ。もちろん、Googleが提供している公式のGoogleカレンダーアプリを使ってもいい。

標準のカレンダーでもGoogleカレンダーを同期できる

表示させたい
カレンダーを
設定しよう

画面左上のボタンから同期中
のカレンダーの表示／非表示
を設定できる

標準のカレンダーア
プリの初期状態で
は、iCloudカレン
ダーと同期される。
設定でGoogleアカ
ウントを同期させて
おけば、標準カレン
ダー上でGoogleカ
レンダーを表示する
ことが可能だ。

Googleアカウントを設定で登録しておこう

1 「カレンダー」の設定から アカウントを追加

タップする

Googleカレンダーを標準カレンダーに同期する場合は、「設定」→「カレンダー」→「アカウント」→「アカウントを追加」をタップしよう。

2 サービス一覧から Googleを選択する

タップする

次の画面でiPadで同期に対応しているサービス一覧が表示される。今回はGoogleカレンダーを同期させたいので「Google」を選択しよう。

3 アカウントとパスワードを 入力して認証する

Googleアカウント とパスワードを入力

Googleのアカウント認証画面が表示されるので、メールアドレス（Gmail）とパスワードを入力。Googleアカウントにログインしよう。

4 同期したい項目をオンにして 「保存」で設定完了だ

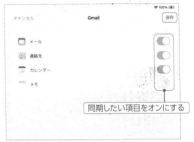

同期したい項目をオンにする

同期に対応しているアプリ一覧が表示される。カレンダー以外にも、メールや連絡先をオンにして「保存」をタップしよう。これで設定は完了だ。

使いこなし
ヒント

予定作成時は登録先の カレンダーをしっかり設定しよう

各種カレンダーアプリで予定をGoogleカレンダーに登録したい場合は、予定作成画面で、登録先のカレンダーをGoogleカレンダーにしておくこと。どのカレンダーに予定を追加するかをしっかり意識しておくのが大事だ。

登録先のカレンダーを選ぶ

Outlookの予定表を
iPadと同期する方法

Outlook.comを介すことで簡単に同期設定が可能

　パソコンで使っているOutlookの予定表をiPadに同期してみよう。設定方法はいくつかあるが、最も確実なのはパソコンのOutlookで「Outlook.com」と同期した予定表を利用し、iPad側の「カレンダー」→「アカウント」設定でOutlook.comと同期しておく方法だ。まずは、Outlook.comにアクセスして「〜@outlook.com」のメールアドレスを取得しておこう（すでに持っている人は不要）。次に、パソコンのOutlookを起動し、このメールアドレスでアカウントを追加する。最後にiPad側でOutlook.comとの同期設定を行えば設定完了だ。これで標準カレンダーアプリでもOutlook.comのカレンダーを表示できるようになる。

「〜@outlook.com」のメールアドレスを取得して設定する

1 iPadのSafariで Outlook.comにアクセスする

Outlook.com
https://outlook.live.com/

まずはSafariでOutlook.comにサインインしたら、画面右上の設定（歯車）アイコンをタップ。一番下の「Outlookのすべての設定を表示」をタップし、設定画面で「メール」→「メールを同期」を開く。

2 アカウントエイリアスを 新規で取得する

「プライマリエイリアスを管理または選択」をタップして、Microsoftアカウントでサインイン。次の画面で「メールの追加」をタップし、「〜@outlook.com」のメールを取得して追加しておこう。

パソコンのOutlookでOutlook.comと同期する

1 | 取得したアカウントを追加しておく

「〜@outlook.com」のメールアドレスでアカウントを追加する

パソコンでOutlookを起動したら、「ファイル」→「情報」→「アカウントの追加」から、「〜@outlook.com」のメールアドレスでアカウントを追加しておこう。なお、すでにOutlook.comと同期しているアカウントがある場合、この設定は不要だ。

2 | Outlookと同期したカレンダーで予定を管理する

〜個人用の予定表

予定表

Outlook.comと同期している予定表で予定を管理すること

これでOutlook.com経由で同期されるアカウントが登録された。新しく予定表が追加されるので、今後はそこで予定を管理するようにしよう。

標準カレンダーアプリでOutlook.comのカレンダーを表示

1 | iPadでOutlook.comとの同期設定を行う

iPadで「設定」→「カレンダー」→「アカウント」→「アカウントを追加」をタップ。「Outlook.com」を選んで、同期したいOutlook.comのアカウントでサインインを済ませておく。

2 | 表示するカレンダーを設定する

画面左上のボタンからOutlook.comのカレンダー表示を設定する

標準のカレンダーアプリを起動し、画面左上のボタンをタップ。Outlook.comと同期しているカレンダーから表示したいものを選択しよう。

メールの文面から
予定や連絡先を登録

打ち合わせの日時や場所をカレンダーに即登録する

　仕事のメールで「9月20日の14時から新宿の×××で打ち合わせを行います」
といった内容を受信した際、すぐにカレンダーアプリで予定を追加しておきたい
……。そんなときに覚えておくと便利なのが、標準のメールアプリから予定を追加
するワザだ。メールの文中にある日時（アンダーラインが引かれる）をロングタップ
して「イベントを作成」を選べば、すぐにカレンダーのイベントを作成することができ
る。メールの内容を判断して、最適な日時や場所などの情報を自動でセットしてく
れるので、素早く予定を登録可能だ。また、メールの文中にある電話番号や住所
なども、ロングタップすれば連絡先にすぐ登録できる。

日時や連絡先情報をロングタップして登録しよう

1 日付や時刻を ロングタップする

「イベントを作成」でカレンダーの
イベント作成画面が表示される

メールアプリでメール中に書かれた日付や時刻をロ
ングタップ。上のようなメニューが表示されるので、
「イベントを作成」でカレンダーに追加しよう。

2 電話番号や住所を ロングタップする

「連絡先に追加」で連絡先
の編集画面が表示される

電話番号や住所などの連絡先情報をロングタップ
して、「連絡先に追加」を選べば、その情報を連絡
先として登録することが可能だ。

共有カレンダーを作成して
複数人で予定を共有する

プロジェクトの予定をメンバー間で共有できる

　複数のメンバーで仕事やイベントのスケジュールを共有したい、といったときに便利なのが共有カレンダー機能だ。共有カレンダーの設定は、利用しているカレンダーサービスによって設定方法が異なる。iCloudカレンダーの場合は、標準カレンダーアプリから設定することが可能だ。また、Googleカレンダーの場合は、ブラウザからGoogleカレンダーにアクセスして設定しておこう。

iCloudとGoogleカレンダーの共有設定方法

1 iCloudカレンダーを共有する場合

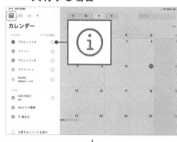

↓

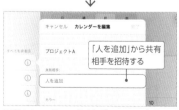

「人を追加」から共有相手を招待する

標準のカレンダーアプリを起動して、画面左上のボタンをタップ。共有したいカレンダーの「i」ボタンをタップし、「人を追加」から共有する相手のメールアドレス（Apple ID）を入力しよう。招待メールが送られ、相手にカレンダーが共有される。

2 Googleカレンダーを共有する場合

Googleカレンダー
https://calendar.google.com/

↓

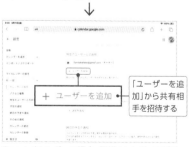

「ユーザーを追加」から共有相手を招待する

Googleカレンダーの場合、標準カレンダーアプリ上では共有設定が行えない。SafariでGoogleカレンダーにアクセスして、共有したいマイカレンダーの右横にある設定ボタンをタップ。「設定と共有」から共有設定を行おう。

日時とイベント名をまとめて入力できるカレンダーアプリ

面倒な予定の入力をスマートに行いたいならコレ

　カレンダーアプリで予定管理するとき、面倒なのが予定の登録だ。たいていのアプリでは、イベント名を決めて、日付を入力し、時間を選んで保存する、といった具合に、いくつかのボタンを操作する必要がある。しかし、ここで紹介するカレンダーアプリ「Calendars 5」なら、テキスト入力で日時とイベント名を一気に設定することが可能だ。たとえば、「＋」ボタンでイベントを新規作成したあと、イベント名の入力欄に「9/3 10am ミーティング」と記入してみよう。これだけで、9月3日の午前10時という日時が設定された状態でイベントが登録できる。いちいちボタンで日時を設定するよりもスピーディだ。登録した予定は、タスク／日／週／月／年といった5つの形式で表示を切り替えでき、見やすい状態で管理が可能。また、タスク管理機能も搭載され、期日が設定されたタスクをカレンダーに表示してくれるのも便利だ。使いやすいカレンダーアプリを探している人は、ぜひ試してみよう。

テキスト入力で日時とイベント名を同時に設定可能

日時の設定をテキスト入力でできる！

Calendars 5 by Readdle
作者 Readdle Inc.
価格 860円

画面右上の「＋」ボタンをタップして予定を追加しよう。入力欄にテキストで「11/13 11am-4pm イベント」などと入力すれば、日付と時間、イベント名を同時に登録できる。なお、英語であれば文章入力での予定登録も可能だが、日本語にはまだ対応していない。

Calendars 5で予定やタスクを管理してみよう

1 | 同期するカレンダーを設定しておく

アプリを起動したら、「+」ボタンをタップして「新規作成」を選択。メインで使いたい向きを、縦向きもしくは横向きから選び、手帳を新規作成しよう。

2 | カレンダーの表示形式を変更する

| タスク | 日 | 週 | 月 | 年 |

5種類の表示形式を選択可能。「タスク」はタスク管理機能

カレンダーの表示形式は画面右上のボタンから切り替えることが可能だ。自分が最も使いやすい形式を選んで、予定を書き込んでいこう。

3 | 新規に予定を追加する

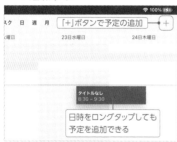

「+」ボタンで予定の追加

日時をロングタップしても予定を追加できる

予定を追加したい場合は、画面右上の「+」ボタンをタップしよう。カレンダー上の日付や時間帯をロングタップすることでも予定を追加できる。その場合は、日時が指定された状態で予定を作成可能だ。

4 | カレンダー上でタスクを管理する

期日を設定しておけば、カレンダーにもタスクが表示される

表示形式を「タスク」に設定すれば、タスク管理が可能。タスクは標準のリマインダーアプリと連携される。なお、タスクに期日が設定してある場合は、カレンダーにも予定が表示されるのでわかりやすい。

使いこなしヒント

デフォルトのカレンダーを設定しておこう

複数のカレンダーサービスと同期している場合などは、予定追加時に最初に選択されるデフォルトカレンダーを設定しておこう。画面左下の設定（歯車）ボタンを押したら、「デフォルトのカレンダー」から設定可能だ。

設定する

リマインダーで
タスク管理を行う

毎日のタスクを効率的に管理できる

　「出社したらA氏にアポイントを取る」、「週末までに自転車を修理に出す」、「会社の帰りにスーパーで牛乳を買う」、など、日々発生するタスクや覚えておきたいことは、iPad標準の「リマインダー」アプリで管理しておこう。締め切りのあるタスクなら、日時を指定して通知するように設定しておけば、要件をうっかり忘れてしまうということもなくなる。また、リマインダーごとに場所を登録できるため、自宅や会社などに到着したタイミングで通知を表示することも可能だ。リマインダーの繰り返しにも対応し、「3ヶ月に1回、オンラインミーティングの予定を組む」といったタスクも簡単に登録できる。登録したリマインダーはiCloudで同期されるので、ほかのiPhoneやパソコンからでもチェック可能だ。

仕事のタスクから買い物メモまで一元管理できる

タスクを
シンプルに
管理しよう！

各種リマインダーは、リストごとに管理することが可能。締め切りの日時を設定することもできる

標準のリマインダーアプリは、シンプルで使いやすいタスク管理機能を備えている。仕事のタスクはもちろん、買い物メモとしても利用可能だ。素早くタスクを登録できるので、ちょっとした要件をメモ代わりに保存しておくのにも便利。

タスクを管理するリストを用途別に複数作っておこう

1 「リストを追加」をタップする

まずは、タスク管理用のリストをいくつか作っておこう。マイリスト内にリストを新規作成するには、画面下にある「リストを追加」をタップする。

2 リストの名前とアイコン、色を設定する

リストごとに、名前やアイコンや色を設定しておこう

リストは「仕事」や「プライベート」といった用途別に作っておくといい。リストの名前とアイコン、色を設定したら、右上の「完了」をタップして作成完了だ。

3 使いやすいようにリストを並べ替えておく

三本線マークをドラッグして並べ替え

画面上の「編集」をタップすると、マイリストの並べ替えや削除が行える。また、各リストの「i」ボタンをタップすれば、名前やアイコンを再設定可能だ。

複数のリストをグループでまとめる

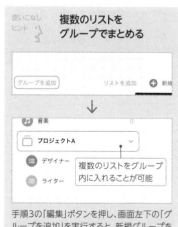

複数のリストをグループ内に入れることが可能

手順3の「編集」ボタンを押し、画面左下の「グループを追加」を実行すると、新規グループを作成できる。グループは、複数のリストをフォルダ的にまとめられる機能だ。

リマインダーを登録して管理する

1 | リストを選択して新規リマインダーを作成

リストを選択する

新規リマインダーを作成したい場合は、画面左のマイリストから登録するリストを選択。画面下にある「新規」をタップしよう。

2 | リマインダーの内容を入力していく

リマインダーの入力画面になるので、覚えておきたいことを入力していく。キーボードのEnterキーを押せば、すぐ次のリマインダーを入力可能だ。

3 | 達成できたら実行済みにする

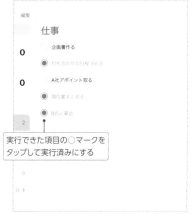

実行できた項目の○マークをタップして実行済みにする

登録したリマインダーを実行できたら、○マークをタップして実行済みにしておこう。実行済みにした項目は、自動的に非表示となる。

使いこなしヒント 実行済みのリマインダーを表示する

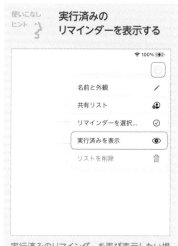

実行済みのリマインダーを再び表示したい場合は、画面右上の「…」をタップして「実行済みを表示」を選択しよう。

リマインダーに指定日時や場所を登録して通知させる

1 指定した口時で 通知させる

リマインダーの項目をタップして「i」ボタンをタップ。「日時と「時刻」をオンにすれば、指定日時に通知させることが可能だ。

2 指定した場所で 通知させる

「場所」では、場所を指定して通知させることが可能だ。たとえば、自宅に着いたときに「ゴミを捨てる」などのリマインダーを通知させることができる。

リストを複数の人と共有して使う

1 リストを選択して 「人を追加」を実行

リストは複数人で共有することが可能だ。マイリストから共有するリストを選択したら、画面右上の「…」から「共有リスト」をタップする。

2 リストの共有方法を 選択する

「メッセージ」や「メール」、「リンクをコピー」などから共有方法を選択し、参加者に参加依頼を送信。招待したメンバーのみ共有リストにアクセスできる。

使いこなし ヒント

項目の削除やフラグ付けの方法

リマインダーの項目を左にスワイプすると、「フラグを付ける」と「削除」のボタンが表示される。フラグは、目立たせたい項目に付けておくといい。

LINEグループを使って
複数メンバーとやり取りする

小規模なプロジェクトのコミュニケーションに最適

　最近では、企業やプロジェクトのメンバー間のやり取りを、メールではなくチャットで行うことが増えている。チャットはメールよりも簡潔なメッセージでやり取りでき、情報の共有も素早く行えるからだ。とはいえ、本格的なグループウェアの導入はちょっと敷居が高い……と思っている人は、ひとまずLINEのグループ機能を使ってみよう。小規模なメンバーでのやりとりであれば十分に役立つ。

iPadにLINEをインストールしてログインしておこう

1 QRコードで ログインすると簡単だ

LINE
作者 LINE Corporation
価格 無料

↓

iPhoneのLINE
のQRコードリー
ダーで読み取る

すでにiPhoneでLINEを使っている人は、iPadのLINEを起動して「QRコードログイン」をタップ。iPhoneのLINEでQRコードを読み取ろう。

2 LINEの画面が 表示される

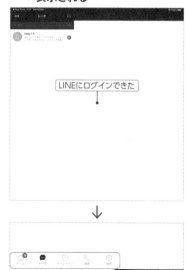

LINEにログインできた

↓

ログインが完了すると、LINEの画面が表示される。画面左下のある各ボタンで、ホームやトーク画面を表示することが可能だ。

1 グループのトークルームを作成する

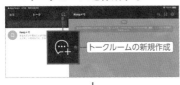

グループのトークルームを作るには、「トーク」画面を表示し、トークルームの新規作成ボタンから「グループ」をタップしよう。

2 メンバーを招待してグループ名などを決める

招待したいメンバーのアカウントを選択して「次へ」をタップすると上のような画面になる。グループ名と画像を設定したら「作成」をタップしよう。

3 グループのトークルームにメッセージを投稿する

グループに投稿する場合は、「トーク」画面を開いてグループを選択してからメッセージを送信すればいい。右上のアイコンでグループ通話も可能だ。

4 ファイルを送信することも可能だ

「+」ボタンをタップすると、ファイルアプリが起動。iCloud DriveやiPad内だけでなく、ほかのクラウドストレージのファイルを送信することが可能だ。

使いこなしヒント　一部のサービスはiPadだと利用できない

iPad版のLINEでは、スマートフォン版のLINEにあるグループの「日程調整(LINEスケジュール)」や「投票」といった一部サービスが利用できない。また、有料スタンプの購入やLINE Payなどの機能も使えない。LINEのフル機能を利用するならスマートフォン版を使おう。

チームのコミュニケーションを Slackで円滑に行う

定番のビジネスチャットアプリをiPadで使ってみよう

　今や多くの企業で導入されている「Slack」。Slackとは、簡単に言えばLINEグループのようなグループチャット機能を、仕事向けにより使いやすくしたビジネスチャットアプリだ。メンバー間で資料のファイルを共有したり、新しい企画のアイディアを提案したりなど、仕事上のコミュニケーションをメールよりも円滑に行うことができる。まだ使ったことがない人は、この機会にぜひ試してみよう。

Slackをインストールしてサインインする

1 アプリを起動して「Slackを始める」をタップ

Slack
作者 Slack
Technologies, Inc.
価格 無料

はじめて使う人は「Slackを始める」をタップ

Slack を始める

↓

G Google で続ける

メールで続ける

ワークスペースの URL がわかりますか？

URL でサインイン

アプリを起動したら、「Slackを始める」をタップ。「Googleで続ける」か「メールで続ける」のどちらかでサインイン方法を選択しておこう。

2 メールアドレスを入力して認証メールのボタンをタップ

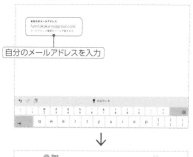

あなたのメールアドレス
fumitakakano@gmail.com

自分のメールアドレスを入力

↓

Slack
株式...

Slack でメールアドレスを確認してください

slack

メールアドレスを認証して Slack の利用を開始

iPadのメールアプリを起動して「メールアドレスの確認」をタップ

メールアドレスの確認

「メールで続ける」をタップした人は、自分のメールを入力しよう。認証メールが届くので、iPadのメールアプリで確認し、メール内のボタンをタップする。

ワークスペースを作成してメンバーを招待する

Slackでは、プロジェクトごとにワークスペースを新規作成し、そこにメンバーを招待してコミュニケーションを行う。ワークスペースには個別のURLが発行され、参加メンバーはURLからワークスペースにアクセス可能だ。ワークスペースを新規作成するのであれば、以下のように作成してメンバーを招待しよう。なお、Slackでは、参加するワークスペースごとに個別のアカウントを作成する必要がある。

1 ワークスペースを新規作成する

ワークスペース名

チャンネル名

Slackをはじめて使う場合、上のような画面が表示される。ワークスペースを新しく作るなら「ワークスペースを新規作成する」をタップ。社名またはチーム名とプロジェクト名を設定しておこう。

2 ほかのメンバーをワークスペースに招待する

招待用のURLをメンバーに送信する

メンバーの招待画面になるので、「共有」から参加メンバーにメールやメッセージを送信する。なお、あとからでもメンバーは招待することが可能だ。

3 ワークスペースのパスワードとURLを設定する

→

ワークスペースのURLを変更できる

ワークスペースの画面が表示されたら、「新規登録を終了する」をタップ。このワークスペース用のパスワード（ワークスペースごとに必要となる）を設定し、必要であればワークスペース名とURLを変更しておこう。

既存のワークスペースに参加するには?

　自分でワークスペースを作らずに、他人が作ったワークスペースに参加したいときは、ワークスペースの参加者に招待メールを送ってもらおう。届いたメールをメールアプリで表示し、「今すぐ参加」ボタンを押せば、Slackが起動する。あとは、そのワークスペース用のアカウントを新規作成すれば参加が可能だ。

1 ワークスペースの参加者が招待を行う

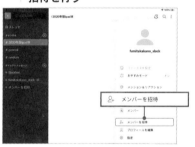

まずはワークスペースの参加者から招待メールを送ってもらう。招待メールは、画面右上のオプションボタンで表示される「メンバーを招待」から送る。

2 招待メールのリンクからアカウントを作成する

iPadで届いたメールをチェックし、「今すぐ参加」ボタンをタップ。Slackが起動するので、招待されたワークスペース用のアカウントを作成しよう。これでワークスペースに参加が可能だ。

3 複数のワークスペースを切り替える

サイドバーを右にスワイプすると、ワークスペースの切り替えメニューが表示できる。複数のワークスペースに参加している場合は、ここから切り変えることが可能だ。

より使いこなしたいなら有料プランもある

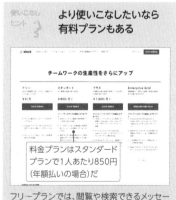

料金プランはスタンダードプランで1人あたり850円（年額払いの場合）だ

フリープランでは、閲覧や検索できるメッセージが直近の1万件、ファイルストレージが5GBまで、導入可能なアプリ数は10件までなどの機能制限がある。本格的に仕事で使うのであれば、有料の月額／年額プランを契約しよう。

　Slackでは、ワークスペース内に複数の「チャンネル」を作成でき、チャンネルごとにメッセージやファイルを共有することが可能だ。標準では「#general」や「#random」などのチャンネルが用意されているが、必要であればチャンネルを追加しておこう。プロジェクトや話題ごとでチャンネルを分けてもいいし、部署やオフィス単位でチャンネルを分けてもOKだ。なお、各チャンネルは、ワークスペースのメンバー全員が参加できる「パブリック」と特定のメンバーだけ参加できる「プライベート」のどちらかに設定しておける。

1 チャンネルを新規作成しよう

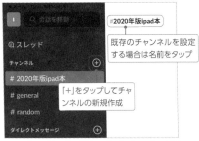

チャンネル一覧の「+」をタップして、チャンネルを新規作成する。既存のチャンネルを設定する場合は、チャンネル名をタップして名前をタップしよう。

2 チャンネルの設定を行っておく

「作成」をタップしたらチャンネル名や説明などを入力。プライベートチャンネルにするかも設定しよう。全員参加のチャンネルはパブリックのままにする。

3 メッセージでやり取りしよう

メッセージの送信方法は簡単だ。やり取りしたいチャンネルをタップして、画面下の入力欄にメッセージを入力。「送信」ボタンでメッセージが送信できる。ファイルや画像も送信することが可能だ（プランによってファイルストレージに保管できる容量は変わる）。

読んでもらいたい相手がいる場合はメンションを設定する

　チャンネルに投稿するメッセージで、読んでほしいメンバーを指定したいときは「メンション」を使おう。メンションは、「@」の後ろにユーザー名を指定すれば設定できる。メンションされたメンバーには通知が行われるので、確実に読んでもらいたいメッセージだけに利用するといい。なお、メンション付きのメッセージはチャンネルに参加している全員が閲覧可能だ。

1　@をタップしてメンバーを選択する

メンション付きのメッセージを送る場合は、「@」ボタンをタップ。一覧表示されたメンバーから目的のユーザー名をタップすればメンションを指定できる。

2　メンション付きのメッセージを送信する

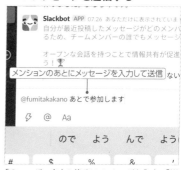

「@ユーザー名」の後ろにメッセージを入力。「送信」をタップしてメッセージを送信しよう。メンションされたメンバーには通知が表示される。

3　特殊なメンションを使ってみよう

「@channel」のような特殊なメンションも用意されている（右表参照）。夜中に重要なメッセージを送る際、通知でメンバーを起こしたくないときなどは、「@here」を使うといい。

Slackでよく使われるメンション

メンション	概要
@ユーザー名	チャンネルに参加している特定ユーザーに対して呼びかける
@here	チャンネルに参加しているメンバーで、現在オンライン状態のユーザーに呼びかける
@channel	チャンネルに参加している全メンバーに呼びかける
@everyone	#generalチャンネルで利用する。参加している全メンバーに呼びかける

メッセージに対して絵文字でリアクションする

Slackでは、Facebookの「いいね!」のように、メッセージに対して絵文字でリアクションを送信することができる。リアクションしたいメッセージをタップしてから、絵文字マークで送信する絵文字を選ぼう。

1 リアクションする メッセージをタップする

メッセージに絵文字でリアクションしたい場合は、まずリアクションするメッセージをタップしよう。

2 絵文字マークをタップして 絵文字を送信する

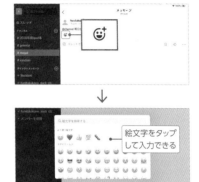

メッセージの下に表示される絵文字マークをタップして、送信したい絵文字をタップすればOKだ。

使いこなし
ヒント

ダイレクトメッセージを 送信する

指定した相手に1対1でメッセージを送る場合は、メンバー名を選択してからメッセージを送信しよう。また、最大8人までのグループダイレクトメッセージを送る場合は、サイドバーを左にスワイプしてからメンバーを設定すればいい。

1対1でダイレクトメッセージを送る場合は、ダイレクトメッセージを送るメンバー名を選択してからメッセージを送信すればいい。

複数人へのダイレクトメッセージを送る場合は、サイドバーを左にスワイプしてから画面上のボタンをタップ。送信するメンバーを指定すればOKだ。

Trelloでプロジェクトの
タスクを管理する

今抱えているタスクをわかりやすく整理できる

　「Trello」は、ボードに貼られたリストやカードを自由に入れ替えながら、タスクを管理していくツールだ。イメージとしては、付箋にタスクを書き込んで、ホワイトボードに貼り、進捗に応じて「実行中」や「完了」といったエリアに分類する、といった感じで使える。いわゆトヨタ自動車が実践していることで有名な「かんばん方式」に似たタスク管理方法だ。この方法だと全体像が見やすく、効率的にタスクを管理することができる。また、ボードは一人で使うこともできるし、複数のメンバーを招待して共有して使うことも可能。たとえば、資格試験のために勉強する項目を整理したり、プロジェクトでのタスクをメンバーごとに割り振ったり、グループ旅行での買い物リストをまとめたりなど、いろいろな活用ができる。使いやすいタスク管理ツールを探している人は、ぜひ試してみよう。

カードを自由に入れ替えながらタスク管理ができる

チームでの
タスク管理にも
最適！

Trello
作者 Trello, Inc.
価格 無料

ボードの上にリストを作り、その中にカードを並べてタスクを管理していく。カードには画像やラベル、メモなどを設定可能。カード自体はドラッグ&ドロップで自由に並べ替えができる。

アカウントを作成してTrelloを触ってみよう

Trelloは、プロジェクトごとに「ボード」を作成し、複数の「リスト」内に「カード」を配置してタスクを管理していく。このあたりは実際に使わないとイメージが沸かないと思うので、まずはTrelloのアカウントを作成して使ってみよう。すでにアカウントを持っている人はメールアドレスとパスワードでログイン可能だ。

1 アカウントを作成するか ログインする

Trelloをはじめて使う人は、アプリ起動後「アカウントを作成」をタップ。すでにアカウントを持っている人は「ログイン」をタップしてログインしておこう。

2 新規アカウントを 作成する

新規アカウントを作成する場合、既存のメールアドレスのほか、Appleアカウント、Googleアカウント、Microsoftアカウントを利用することができる。

3 ボード画面が 表示される

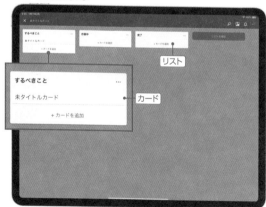

これがボードの画面だ。ボード内には横方向にリストがいくつか並び、リスト内には複数のカードを入れられる。まずはいろいろ操作して使い方に慣れておこう。

使いこなし
ヒント

左上の「×」で ボードを閉じる

画面左上にある「×」ボタンをタップすると、ボードを閉じてTrelloのトップ画面に戻ることができる。トップ画面からは別のボードを作成することが可能だ。

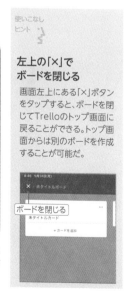

241

Trelloでタスク管理を行う方法

Trelloは、多種多様な使い方ができるため、最初はどう扱えばいいのか分かりづらいところがある。そこで、まずは個人的なタスク管理を行って、Trelloの基本操作を把握しておこう。「するべきこと」、「作業中」、「完了」などの進捗状況別にリストを分け、個々のタスクをカードに書いて分類していくのだ。

1 個人的なタスク管理を行う方法

「リストを追加」でリストを追加しておこう

「カードを追加」でリスト内にカードを追加できる

Trelloでタスク管理を行う場合、「するべきこと」、「作業中」、「完了」といったリストを作るのが基本。個々のタスクはカードに記して、進捗状況に応じて各リストを分類していくのだ。まずは、思い付く限りに「するべきこと」をカードに入力していこう。

2 各カードはドラッグ&ドロップで分類できる

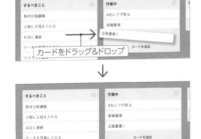

カードをドラッグ&ドロップ

カードはドラッグ&ドロップで移動が可能だ。各カードのタスク内容で、取り掛かったものは「作業中」、終わったものは「完了」リストに入れていく。

3 カードごとにメモや期限ラベルなどを設定する

各カードをタップすると、詳細設定画面になる。必要であれば、メモや期限、ラベルなどを設定しておこう。画像や各種ファイルを添付することも可能だ。

使いこなしヒント

ラベル名を決めておくと分類しやすい

カードの詳細画面で、ラベルを追加したり、ラベルごとに色や名前をカスタマイズしたりできる。「重要」「仕事」など、好きなラベル名を付けておこう。

少人数のチームでタスク管理を行う方法

　少人数のチームでタスク管理を行う場合は、担当者ごとにリストを作っておくといい。最初に全体のタスクをカードに書き出し、各担当者のリストに割り振っていくのだ。また、ボードを共有する際は、特定のメンバーを招待する方法と、ボード全体を公開状態に設定する方法がある。好きな方法で共有しよう。

1 チームでのタスク管理を行う方法

カードの詳細画面からカードごとにメンバーを割り振ることも可能

担当者ごとにリストを分けて、タスクを割り振る

少人数のチームでタスク管理を行う場合は、担当者ごとにリストを作成しておき、それぞれにタスクを割り振る形で管理するのがオススメ。各担当者が現在何に取り掛かっているのか、どれだけタスクが残っているか、などがひと目で分かるようになる。

2 特定のメンバーに　ボードを共有する方法

↓

招待するメンバーのユーザー名を検索して招待する

特定のメンバーのみにボードを共有したい場合は、画面右上の「…」から「招待する」を選び、ユーザー名を検索して追加しよう。この場合、メンバー全員がTrelloのアカウントを持っている必要がある。

3 インターネットに公開して　多くの人に見られるようにする

↓

共有ボタンから共有リンクを送信する

ボードを「公開」状態にすると、インターネット公開され、共有リンクを知っている人ならTrelloアカウントを持っていなくても閲覧できるようになる。ボードの編集は招待した人のみ可能だ。

送信日時設定で
Gmailをリマインダーにする

自分自身にメールを送ってタスクを忘れないようにする

　Gmailは、送信日時を指定してメールを送信することが可能だ。この機能を応用すれば、Gmailをリマインダーとして活用できる。リマインドしたい内容をメールのタイトルにして、送信日時を指定したメールを自分自身に出してみよう。すると、指定した日時にメールが送信および受信され、iPadで通知が表示される。普段からGmailを使っている人なら、必ず通知をチェックするので見落とすこともないはずだ。突発的に発生した重要なタスクを通知させたい場合に使うと便利。

送信日時を指定して自分宛てにメールを送ってみよう

1 メールの送信日時を指定する

Gmail
作者 Google LLC
価格 無料

送信日時を指定する

まずはGmailで自分宛てにメールを作成。メールタイトルにタスク内容を記入したら作成画面の右上にある「…」ボタンをタップしよう。「送信日時を設定」から日時を指定してメールを送信しよう。

2 メール送信の予定時刻に通知が表示される

通知が表示されない場合は、「設定」→「通知」→「Gmail」から通知設定を確認しておこう

指定時刻にメールが送信されると、Gmailアプリで受信され、通知が表示される。これなら、やるべきことを忘れることがなくなるはずだ。

使いこなしヒント

送信予定をキャンセルする

送信日時を指定したメールをキャンセルしたい場合は、左上のメニューから「送信予定」をタップ。該当するメールの「キャンセル」をタップすればいい。

送信をキャンセルする

LINEにやるべきことを知らせてもらう

LINEで「リマインくん」を友だち登録しよう

　タスク管理アプリにやるべきことを登録しても、ついつい通知をスルーしてしまう……といった人は、LINEを利用したタスク管理を試してみよう。やり方は簡単。有志が提供している「リマインくん」というパーソナルリマインダーbotを、LINEの友だちに追加するだけだ。あとは、リマインくんとのトーク画面で、「電話する」、「明日の12時」とリマインドする内容と日時を伝えるだけ。すると、設定した日時にリマインくんが話しかけてくれる。LINEの通知としても表示されるので、LINEを普段使っている人であれば絶対に見逃さない。これなら通知をスルーせず、やるべきことを忘れないようにできるはずだ。

リマインくんを友達登録してリマインド内容を伝える

1 | リマインくんを友だちに登録する

Safariで「リマインくん」と検索してヒットするページで「今すぐ友だちに追加」をタップ。LINEの友だちとして登録しておこう。

2 | LINEのトーク画面でリマインド内容を話しかける

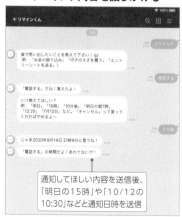

通知してほしい内容を送信後、「明日の15時」や「10/12の10:30」などと通知日時を送信

LINEでリマインくんとのトーク画面を表示。リマインドする内容と日時を話しかけると覚えてくれ、その日時になるとLINEで話しかけてくれる。

iPadとMacの連携機能を利用する

iPadユーザーでMacも使っている場合は、強力な連携機能を利用しない手はない。iPadでMacのディスプレイを拡張できるSidecarをはじめ、便利すぎる機能をしっかり活用しよう。

iPadをMacの
サブディスプレイとして利用する

　Macを持っているなら、ぜひ利用したい機能が「Sidecar」だ。iPadの画面をMacの2台目のディスプレイとして使えるので、単純に作業スペースが広がるし、MacのアプリをiPadのApple Pencilで操作できるようにもなる。この機能を利用するにはいくつか条件があるので、まずは下記にまとめた利用条件を満たしているか確認しよう。条件さえ整っていれば、MacのAirPlayボタンから簡単に接続できる。Macの表示エリアを拡張する使い方と、Macの画面をミラーリングする使い方の2通りがある。

iPadをサブディスプレイとして使う手順

1 AirPlayボタンから iPadに接続する

Macのメニューバーに表示されているAirPlayボタンをクリックすると、「接続先:」欄に接続可能なiPad名が表示される。これをクリックするとSidecarで接続できる。

2 ディスプレイの 接続方法を選択する

Macの画面の延長先にiPadの画面があるように使うなら「個別のディスプレイとして使用」を選択。Macと同じ画面をiPadに表示させるなら「内蔵Retinaディスプレイをミラーリング」を選択しよう。

Sidecarの利用条件

● macOS CatalinaをインストールしたMac
● iPadOS 13以降およびApple Pencil（第1世代、第2世代どちらでも）に対応したiPad
● 両方のデバイスとも同じApple IDでサインイン
● ワイヤレスで接続する場合は、10メートル以内に近づけ、両デバイスでBluetooth、Wi-Fi、

Handoffを有効にする。また、iPadはインターネット共有を無効にする
● ケーブルで有線接続する場合は、両デバイスともBluetooth、Wi-Fi、Handoffがオフでもよい。iPadでインターネット共有中でも利用できるが、その場合iPadのWi-FiとBluetoothはオンにする必要がある

個別のディスプレイとして使用

画面を広く使える

iPadの画面がMacの画面の拡張エリアとなり、マウスポインタを行き来させて操作できる

iPadの画面をMacの画面の延長として使うモード。余分なウインドウをiPad側に置いて画面を広く使えるほか、Macにはアプリのメイン画面だけ配置してツールやパレットをiPad側に配置したり、ファイルを2つ開いて見比べながら作業したい時にも便利。

内蔵Retinaディスプレイをミラーリング

ペンタブレット化できる

Macの画面と同じ内容がiPadの画面にも表示される

Macと同じ画面をiPadにも表示するモード。プレゼンなどで相手に同じ画面を見せたい時などに役立つほか、iPadをペンタブレット化できる点も便利。Macでイラストアプリを起動し、iPad側でApple Pencilを使ってイラストを描ける。

使いこなし
ヒント

iPadの画面はApple Pencilでのみタッチ操作が可能

Sidecarで接続中は、iPadの画面を指でタッチ操作できないが、Apple Pencilを使う場合のみタッチ操作できる。イラストを描いたり手書き文字を入力することもできるので、Sidecarを使うならApple Pencilもあったほうが便利だ。

ディスプレイの
位置関係を変更する

iPad側の画面を上下左右好きな位置にドラッグ

個別のディスプレイとして使う場合、「システム環境設定」→「ディスプレイ」の「配置」タブで、MacとiPadの画面をどこでつなげるかを変更できる。

ウインドウを
素早く移動する

クリック

ウインドウのフルスクリーンボタンにポインタを置き、「iPadに移動」で素早くiPad側に移動できる。iPad側では「ウインドウをMacに戻す」でMac側に戻せる。

iPadで
サイドバーを使う

サイドバー

iPadの画面左にあるサイドバーで、メニューバーやDockを表示したり、装飾キーを使ったり、取り消しやキーボード表示、接続解除が可能。指でもタッチできる。

iPadで
Touch Barを使う

Touch Bar

MacがTouch Bar非搭載でも、iPadの画面下部にはTouch Barが表示され、アプリごとにさまざまなメニューを操作できる。TouchBarは指でも操作できる。

Sidecar利用中に
iPadアプリを使う

タップするとSidecarの画面に戻る

Sidecarを利用中でも、ホーム画面に戻ればiPadのアプリを利用することが可能だ。Dockに表示されるSidecarのアイコンをタップすると、Sidecarの画面に戻る。

Sidecarの
接続を解除する

クリック

MacでAirPlayボタンのメニューから「接続解除」をクリックするか、iPadのサイドバーにある接続解除ボタンをタップすると、Sidecarの接続を解除できる。

Macで開いたPDFに
iPadで指示を書き込む

　Macの書類に手書きで注釈を入れたい時に便利なのが、「連携マークアップ」機能だ。まず、MacでPDFファイルを選択してスペースキーを押し、クイックルックでPDFの内容をプレビュー表示する。この画面で上部のマークアップボタンをクリックすれば、すぐにiPadの画面にもPDFの内容が表示され、Apple Pencilを使って細かい注釈を書き込めるのだ。この機能は、MacとiPadで同じApple IDを使ってサインインしており、両方のデバイスでWi-FiとBluetoothが有効になっている時に利用できる。

1 Macでマークアップ ボタンをクリック

MacでPDFファイルを選択してスペースキーを押し、クイックルックで表示したら、マークアップボタンをクリック。iPadの画面にPDFが表示されない時は、さらに注釈ボタンをクリックしよう。

2 iPadでPDFに 指示を書き込む

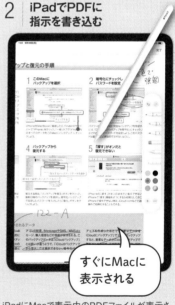

iPadにMacで表示中のPDFファイルが表示され、Apple Pencilや指で注釈を書き込める。書き込んだ内容は、リアルタイムでMacBook側に反映される。

iPadで手書きメモを
作成してMacに取り込む

　P250の「連携マークアップ」と同様に、MacとiPadで同じApple IDを使ってサインインしており、両方のデバイスでWi-FiとBluetoothが有効になっていれば、Macで作成中のメモやメールにiPadで描いた手書きのイラストを挿入する「連携スケッチ」機能が使える。まずMacでメモなどを開き、挿入したい場所にカーソルを合わせよう。続けて右クリックメニューから「iPhoneまたはiPadから読み込む」を選択し、iPadの「スケッチを追加」をクリック。するとiPad側でスケッチ画面が開いて、Apple Pencilや指で描画できる。

1 ｜「スケッチを追加」を
　　 クリックする

Macでメモアプリなどを開き、イラストを挿入したい位置にカーソルを合わせる。右クリックメニューから「iPhoneまたはiPadから読み込む」を選択し、iPadの「スケッチを追加」をクリックしよう。

「完了」でMac
の画面に挿入

2 ｜ iPadでPDFに
　　 指示を書き込む

iPadでスケッチウインドウが開くので、Apple Pencilや指でスケッチを描画しよう。描き終わったら、右上の「完了」をタップすると、Macのカーソル位置にこのイラストが挿入される。

Macとクリップボードを
共有する

　iPadとiPhoneの間でクリップボードを共有する「ユニバーサルクリップボード」機能（P176で解説）は、利用条件が揃っていればiPadとMacの間でも使える。MacとiPadで同じApple IDを使ってサインインし、両方のデバイスでWi-FiとBluetoothとHandoffを有効にしておけばよい。MacとiPadでコピーしたテキスト・画像・ビデオが共有されるようになるので、Macで入力した長文テキストをコピーしてiPadのメール作成画面に貼り付けたり、iPadにしかない写真をコピーしてMacのメモに貼り付けるといったことができる。

1 | iPadで写真をコピーする

ユニバーサルクリップボードが使える状態になっているなら、iPadの写真をMacに貼り付けてみよう。まずiPadで写真を開いて、共有メニューから「写真をコピー」をタップ。

2 | コピーした写真をMacのメモに貼り付ける

Macでメモを開いてペーストしてみよう。「"○○"からペースト中…」と表示され、しばらく待つとiPadでコピーした写真が貼り付けられるはずだ。

使いこなし
ヒント

MacとiPadでHandoffの有効を確認する

Macでは、Appleメニューから「システム環境設定」→「一般」→「このMacとiCloudデバイス間でのHandoffを許可」のチェックを確認。iPadでは、「設定」→「一般」→「AirPlayとHandoff」→「Handoff」のスイッチをオンにしておく。

メール管理
の仕事技

複数アカウントの送信済み
メールをまとめて確認する

「すべての送信済み」を表示させておこう

取引先ごとにメールアドレスを使い分けている場合、「メール」アプリにすべてのアカウントを追加しておけば、いちいち各アカウントの受信トレイを開かなくても、「全受信」メールボックスでまとめて確認することができる。ただ、自分が送信したメールを確認しようとすると、それぞれのアカウントの「送信済み」トレイを開く必要があることに気付くだろう。これを「全受信」のように、すべてのアカウントの送信済みメールもまとめて確認したいなら、「すべての送信済み」メールボックスを追加表示しておけばよい。メールボックス一覧の「編集」ボタンから追加することができる。

「すべての送信済み」
を追加表示する

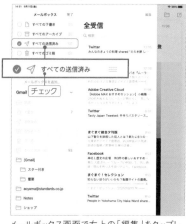

メールボックス画面で右上の「編集」をタップし、「すべての送信済み」にチェックすれば、メールボックス一覧に表示されるようになる。

> 送信済みメールも
> まとめてチェック
> できるようになった

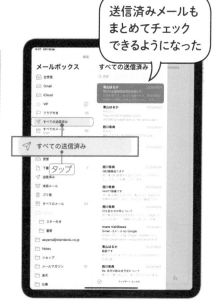

Gmailをメールの自動バックアップツールとして利用する

Gmailのアドレスを使う必要はない

　ビジネスマンこそ利用すべきメールサービスが「Gmail」だ。といっても、会社の
メールアカウントを使わずにGmailに乗り換えようという話ではない。Gmailの「○
○@gmail.com」アドレスでメールをやり取りするのではなく、会社メールのバック
アップ先としてGmailを利用しよう、という提案だ。Gmailには、他のメールアドレス
を設定して使えるメールクライアントとしての機能もある。会社のメールアカウント
をGmailに設定しておけば、Gmailでもメールが受信されていく。放っておけば受
信メールがどんどんGmailに溜まるので、自動バックアップツールとして非常に有
用なのだ。何らかのトラブルで会社の受信メールがすべて消えても、Gmailを開け
ば過去のすべての受信メールを確認できる。また、iPadやiPhoneを紛失した際
も、Gmailにさえアクセスできれば会社のメールを送受信できるので、連絡が途絶
えることもない。詳しい設定方法は、P256から解説する。

SafariでGmail（https://mail.google.com/）に
アクセスし、歯車ボタンをタップ。「すべての設定を
表示」→「アカウントとインポート」→「メールアカウ
ントを追加する」から自宅や会社のメールアカウント
を追加する。

自宅や会社の受信メールが、すべてGmailに保存
されるようになる。自宅や会社のメールアカウントご
とにラベルを付けておけば、すぐに目的のメールだ
け一覧表示できて便利だ。

メールはすべて
Gmailを経由させる

会社の送信メールも含めてGmailに保存できる

　P255で解説したように、Gmailに会社のメールアカウントを設定しておけば、会社の受信メールをすべてバックアップしておける。ただ、Gmailに会社のメールを設定するメリットはそれだけではない。会社のメールの送信をGmailアプリやWeb版Gmailから行うことで、送信済みメールも自動的にGmailに溜まるようになるのだ。メールの作成時にアドレスを切り替えるか、デフォルトのメールアドレスを会社のメールアドレスに変更しておけば、相手にはきちんと会社のメールアドレスから送信されているように見える。このように、会社の送受信メールをGmail一本で管理することで、さらに大きなメリットも生まれる。同じGoogleアカウントでログインするだけで、iPadでもパソコンでもスマートフォンでも同じ状態のメールを確認できる上、会社の送受信メールにGmailの強力な検索機能を利用できる。さらに、ラベルによる整理を適用でき、迷惑メールもほとんど届かなくなる。最初の設定さえ済ませれば、あとは本当に簡単に管理できるようになるので、ぜひ活用しよう。

設定にはWeb版Gmailの操作が必要

1 Web版Gmailの設定を開く

会社のメールアカウントを設定するには、Web版Gmail（https://mail.google.com/）にアクセスする必要がある。右上の歯車ボタンをタップし、表示されたメニューから「すべての設定を表示」をタップしよう。

2 メールアカウントを追加するをタップ

続けて「アカウントとインポート」タブを開き、「メールアカウントを追加する」をタップしよう。新規タブで、メールアカウントを追加する画面が開く。

Gmailに会社のメールアカウントを設定する①

3 会社のメール アドレスを入力

メールアカウントの追加画面が開いたら、「メールアドレス」欄に、Gmailで送受信したい会社のメールアドレスを入力し、「次へ」をタップする。

4 「他のアカウントから〜」 にチェックして次へ

「他のアカウントから〜」にチェックして「次へ」。なお、追加するアドレスがYahoo、AOL、Outlook、Hotmailなどであれば、Gmailify機能で簡単にリンクできる。

5 受信用のPOP3 サーバーを設定する

POP3サーバー名やユーザー名／パスワードを入力して「アカウントを追加」。会社メールだけを素早く表示できるように、「〜ラベルを付ける」にチェックしておくこと。

6 送信元アドレス として追加しておく

Gmail経由でこのアドレスから送信できるように、「はい」にチェックしたまま「次へ」。後からでも設定の「アカウントとインポート」→「他のメールアドレスを追加」で変更できる。

7 送信元アドレスの表示名を入力

「はい」を選択した場合、送信元アドレスとして使った場合の差出人名を入力できる。名前を入力したら「次のステップ」をタップ。

8 送信用のSMTPサーバーを設定する

追加した会社メールを差出人としてメールを送信する際に使う、SMTPサーバーの設定を入力して、「アカウントを追加」をタップする。

9 確認コードの入力欄が表示される

アカウントを認証するための確認メールが、追加した会社のメールアドレス宛てに送信され、確認コードの入力欄が表示される。

10 確認メールで認証を済ませて設定完了

ここまでの設定が問題なければ、確認メールはGmail宛てに届く。「確認コード」の数字を入力欄に入力するか、または「下記のリンクをクリックして〜」をタップすれば、認証が済み設定完了。

Gmailで会社のメールアドレスから送信する

1 | Gmailアプリで新規メールを作成

Gmail
作者 Google LLC
価格 無料

Gmailアプリをインストールして、Googleアカウント
でログインしよう。新規メールを作成するには、右下
の「作成」ボタンをタップする。

2 | 送信元を会社のアドレスに変更

送信元: aoyama@standards.co.jp

タップ

「From」欄をタップすると、送信元アドレスをGmail
アドレスではなく、追加した会社のメールアドレスに
変更できる。あとは、通常通りメールを作成して送
信すれば、相手にはいつもの通り会社のメールアド
レスからメールが届く。そして、送信したメールは、
Gmailの送信済みメールラベルに溜まっていく。

使いこなしヒント

会社メールをGmailの標準アドレスにする

Gmailのアドレスを使わないなら、
Web版Gmailの歯車ボタンから
「すべての設定を表示」→「アカウン
トとインポート」を開き、追加した会
社のメールアドレスの「デフォルトに
設定」をタップしておこう。新規メー
ルを作成する際は、このアドレスが
標準で送信元アドレスとして選択
されるようになる。

デフォルトに設定

259

重要度の低いCcメールを
フィルタ機能で表示させない

「宛先:自分」フィルタを常時オンにしよう

　仕事で大量に受信するCcメールに悩まされていないだろうか？　本当に共有すべき内容ならいいのだが、当事者同士で済む案件なのに、慣習的に上司や関係者全員をCcに含めて送る企業は多い。自分にあまり関係のないCcメールが頻繁に届くようでは、自分宛ての重要なメールが埋もれてしまって本末転倒だ。そこで、メールアプリのフィルタ機能を設定しておくことをおすすめする。受信トレイの左下にあるフィルタボタンをタップしてオンにし、適用中のフィルタを「宛先:自分」にしておこう。これで、宛先が自分のメールだけを表示し、受信トレイをスッキリ整理できる。なお、フィルタ機能はメールボックスごとに個別に設定でき、一度オンすれば、次回そのメールボックスを開いた時もオンの状態のままになる。

フィルタ機能の基本的な使い方

1 フィルタボタンを　タップしてオンにする

メールボックスの受信トレイを開いたら、左下の三本線ボタンをタップしよう。フィルタ機能がオンになる。

2 もう一度タップで　オフにできる

標準だと未開封のメールのみが表示される。三本線ボタンをもう一度タップすると、フィルタがオフになり通常の受信トレイに戻る。

フィルタで自分宛てのメールだけを表示させる

1 適用中のフィルタ をタップ

受信トレイなどの左下にある三本線ボタンをタップし、フィルタをオンにしたら、「適用中のフィルタ」部分をタップしよう。

2 「宛先:自分」に のみチェックする

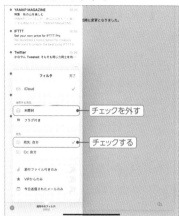

「宛先:自分」にチェックを入れる。また、標準だと「未開封」にチェックされているので、タップして外したら「完了」をタップ。

3 宛先がCcのメール は表示されない

Ccで自分が含まれるメールは表示されず、宛先が自分のメールのみ表示されるようになった。一度フィルタをオンにしておけば、次回メールアプリを起動したときもオンのままになっている。

使いこなし ヒント 今日送信された メールのみ表示する

さらに受信トレイをスッキリさせたいなら、「今日送信されたメールのみ」フィルタをオンにするのがおすすめ。今日届いたメールの確認・処理は今日中に必ず済ませる、という意志を持って仕事に取り組める。

読まないメールを振り分ける
「VIP」機能の応用ワザ

社内報などは「VIP」に登録して通知させない

メールアプリの「VIP」は本来、重要な相手からのメールだけ自動で振り分けるための機能だ。例えば、プライベートと仕事の両方で付き合いがある人を登録しておけば、プライベートと仕事用、どちらのメールアドレス宛てに連絡が来ても、「VIP」フォルダで横断的に確認できる。また、VIPフォルダにあまり読む必要がないメールを振り分けるという、通常とは逆の使い方をしても便利だ。というのも、VIPフォルダに届くメールは、個別に通知設定を変更しておけるのだ。このVIPの通知設定を利用して、毎朝の社内報や進捗状況の報告メールなど、頻繁に届いたり定時連絡されるメールをVIPに振り分けておき、通知をオフにしておこう。毎日届く煩わしい通知がなくなり、自分のタイミングでVIPフォルダを開いて確認できるようになる。

VIPに定時連絡メールなどを追加する

1 メールボックスの VIPをタップする

メールボックス一覧を開き、「VIP」(一人でもVIPを追加済みなら右端にある「i」ボタン)をタップする。

2 「VIPを追加」で 連絡先を追加する

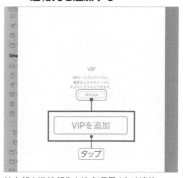

社内報や進捗報告など、毎日届く定時連絡メールアドレスを追加しておこう。この連絡先からのメールは、自動的にVIPメールボックスに振り分けられる。

VIPメールの通知をオフにする

1 VIPの「i」ボタンをタップする

VIPメールの通知を変更するには、まずメールボックス一覧で、「VIP」の右端にある「i」ボタンをタップする。

2 「VIP通知」をタップする

VIPに追加した連絡先一覧が表示されるので、続けて「VIP通知」をタップしよう。なお「編集」をタップすれば、VIPに追加した連絡先を削除できる。

3 VIPメールの通知を設定

VIPメールだけの通知を設定できる。「通知を許可」をオフにしておけば、この連絡先からのメールは通知されない。通知をオンにしたままサウンドをオフにするだけでも、煩わしさは軽減できるだろう。

4 VIPフォルダは今日のメールだけ表示

また、重要度の低いメールを溜める場所なので、今日届いた分は一度ざっと確認したらもう表示させない使い方もおすすめ。VIPフォルダで「今日送信されたメールのみ」フィルタをオンにしておこう。

仕事の連絡先を効率的に
管理するテクニック

大量の連絡先データはパソコンで整理しよう

　取引先や顧客の連絡先データをiPadで管理したい時、iPadで一つ一つ入力していくのはあまり現実的ではない。大量の連絡先を入力・管理するには、パソコンで操作した方が断然速いし楽だ。パソコンのWebブラウザでiCloud.com（https://www.icloud.com/）にアクセスして管理しよう。連絡先の新規作成や編集を行えるほか、連絡先アプリではできない、新規グループの作成やグループ分けも行える。また、連絡先を削除したい時も、連絡先アプリだと一つずつ削除する必要があるが、パソコンだと複数の連絡先を一括削除できる。さらに、誤って削除した連絡先を復元したい時も、iCloud.comでの操作が必要だ。ただし、重複して表示される連絡先をまとめたい場合は、連絡先アプリでの操作になる。「連絡先をリンク」で重複した連絡先を選択しよう。

パソコンのWebブラウザで
iCloud.comにアクセス

パソコンのブラウザでiCloud.com（https://www.icloud.com/）にアクセスし、iPadと同じApple IDでサインイン。Apple IDの設定によっては、2ファクタ認証が必要となる。続けて「連絡先」をクリックしよう。

> 使いこなし
> ヒント
>
> ### SafariでもiCloud.comで
> ### 連絡先を編集できる
>
> iPadのSafariでも、iCloud.comにアクセスすれば、パソコンのWebブラウザと同様の画面で連絡先を表示できる。削除した連絡先の復元も可能だ。縦画面ではグループが表示されないので、横画面にしよう。ただiPad単体だと、連絡先の複数選択やドラッグ＆ドロップ操作が効かないので、連絡先の編集以外にグループの新規作成くらいしかできない。iPadに外部キーボードとマウスを接続すれば、ShiftやCommandキーで複数の連絡先を選択して、まとめて削除したりグループに振り分けできる。

iCloud.comで連絡先を作成、編集、削除する

1 新規連絡先やグループを作成する

iCloud.comで連絡先画面を開いたら、左下の「+」ボタンをクリック。「新規連絡先」で新しい連絡先の作成画面が開くので、名前や住所を入力していこう。また「新規グループ」でグループも作成できる。

2 既存の連絡先を編集する

連絡先を一覧の名前をクリックすると、右欄に連絡先が表示される。上部の「編集」ボタンをクリックすれば、この連絡先の編集が可能だ。相手の住所や電話番号が変わったら、変更を加えておこう。

3 複数の連絡先をまとめて削除する

ShiftやCtrl(Macではcommand)キーを使って連絡先を複数選択し、左下の歯車ボタンから「削除」をクリックすれば、選択した連絡先をまとめて削除することができる。

4 複数の連絡先をグループに振り分ける

ShiftやCtrl(Macではcommand)キーを使って連絡先を複数選択し、そのまま左のグループ欄にドラッグすれば、選択した連絡先をまとめてグループに振り分けることができる。

誤って削除した連絡先を復元する手順

1 iCloud.comで「アカウント設定」をタップ

SafariまたはパソコンのWebブラウザでiCloud.com（https://www.icloud.com/）にアクセス、Apple IDでサインインを済ませたら、「アカウント設定」をタップしよう。

2 「連絡先の復元」をタップする

iCloudの設定画面が開く。下部の「詳細設定」欄に、「連絡先の復元」という項目があるので、これをタップしよう。なお、カレンダーやブックマークなども、この画面から復元することが可能だ。

3 「復元」ボタンをタップする

「連絡先の復元」画面が開き、過去にバックアップされた連絡先データが一覧表示される。復元したい日時の連絡先を選択して、「復元」ボタンをタップしよう。

4 さらに「復元」をタップで復元される

「連絡先を復元しますか？」と警告ダイアログが表示されるので、「復元」をタップして復元を開始。しばらく待つと、バックアップ時点の連絡先への復元が完了する。復元された連絡先は、連絡先アプリでも反映されているはずだ。

重複した連絡先を一つにまとめる

1 「連絡先をリンク」を タップする

連絡先アプリで、重複している連絡先の一方を表示したら、右上の「編集」ボタンをタップ。続けて、下の方にある「連絡先をリンク」をタップする。

2 重複したもう一方の 連絡先を選択

連絡先一覧が表示されるので、重複しているもう一方の連絡先を探し出して、タップしよう。

3 「リンク」をタップ して連絡先を結合

右上の「リンク」をタップすれば、2つの連絡先データが、一つの連絡先としてまとめて表示されるようになる。

4 リンクした連絡先 を解除する

連絡先のリンクを解除したい場合は、リンクした連絡先の「編集」をタップし、「リンク済み連絡先」の一方の「ー」→「リンク解除」をタップすればよい。

Gmailの演算子で必要な
メールを素早く探し出す

複数の演算子を組み合わせて効率的に絞り込もう

　P256で解説したように、会社のメールをすべてGmailを経由して送受信することで利用できるようになるのが、Gmailの強力な検索機能だ。単純にキーワード検索するだけでも便利だが、キーワードだけだと送信者や受信者、件名、本文などすべてを対象にして検索してしまう。これでは、関係のないメールも大量にヒットしてしまって見つけづらい。メールをよりピンポイントで探し出したいなら、「検索演算子」と呼ばれるGmailの検索コマンドを覚えておこう。Gmailで利用できる演算子は数多いが、送信者や件名を指定したり、検索期間を指定するなど、主要なものを覚えておけば日常的な検索には困らない。また、演算子は複数を組み合わせて利用できるので、例えば「青山さんから送られてきた、件名に"打ち合わせ"を含むメールを、2018/01/01から2018/12/31の間で」検索するといったことも可能だ。

Gmailで利用できる主な演算子

from:	送信者を指定
to:	受信者を指定
cc:	Ccの受信者を指定
bcc:	Bccの受信者を指定
subject:	件名に含まれる単語を指定
-(ハイフン)	検索結果から除外するキーワードの指定
OR	A OR Bでいずれか一方に一致するメールを検索
" "(引用符)	引用符内のフレーズと完全に一致するメールを検索
after:	指定日以降に送受信したメールを検索
before:	指定日以前に送受信したメールを検索
label:	指定したラベルのメールを検索
is:starred	スター付きのメールを検索
is:unread	未読のメールを検索
is:read	既読のメールを検索
in:anywhere	迷惑メールやゴミ箱にあるメールを含むすべてのメールから検索
has:attachment	ファイルが添付されたメールを検索
filename:	pdfやtxtなど指定した名前や形式の添付ファイルがあるメールを検索

Gmailの検索方法と演算子を使用した検索例

1 Gmailアプリの検索欄をタップ

Gmail
作者 Google LLC
価格 無料

Gmailアプリを起動すると、上部にキーワード検索欄が表示されている。この検索欄をタップしよう。

2 演算子を使ってメールを検索する

subject:打ち合わせ after:2018/01/01 before:2018/12/31

下記の例のように、複数の演算子を組み合わせてキーワード検索してみよう。目的のメールをピンポイントで素早く探し出せる。

---

from:aoyama

送信者のメールアドレスまたは送信者名に「aoyama」が含まれるメールを検索。大文字と小文字は区別されない。

from:青山 subject:会議

送信者名が「青山」で、件名に「会議」が含まれるメールを検索。送信者名は漢字やひらがなでも指定できる。

from:青山 "会議の資料"

送信者名が「青山」で、件名や本文に「会議の資料」を含むメールを検索。英語の場合、大文字と小文字は区別されない。

from:青山 OR from:西川

送信者が「青山」または「西川」のメッセージを検索。「OR」は大文字で入力する必要があるので要注意。

after:2018/06/20

2018年6月20日以降に送受信したメールを指定。「before:」と組み合わせれば、指定した日付間のメールを検索できる。

filename:pdf

PDFファイルが添付されたメールを検索。本文中にPDFファイルへのリンクが記載されているメールも対象となる。

仕事で使いこなすための
メールアプリ便利ワザ

意外と多機能なメールアプリを使いこなそう

　iPadの標準メールアプリがシンプルすぎて物足りないという人は、まだまだ使いこなせていないだけかもしれない。メールアプリは意外と機能が豊富で、より手軽に操作するためのさまざまな手段も用意されているのだ。ここでは、複数メールをまとめて操作したり、メールを素早く作成するためのテクニック、覚えておくと仕事がはかどる便利な小技など、あまり知られていないメールアプリの便利ワザを紹介していく。普通にメールを送受信しているだけでは気付くにくい、これらの機能を活用して、仕事メールを効率的に処理しよう。

大量の未読メールをまとめて開封済みにする

1 すべてのメールを選択する

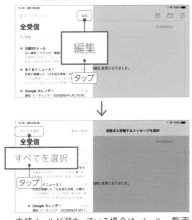

未読メールが溜まっている場合は、メール一覧画面の上部にある「編集」→「すべてを選択」をタップしよう。すべてのメールが選択状態になる。

2 「開封済みにする」でまとめて開封

この状態で、メール一覧画面の下部にある「マーク」→「開封済みにする」をタップすると、すべての未読メールをまとめて開封済みにできる。

すべてのメールをまとめて削除する

1 すべてのメールを選択する

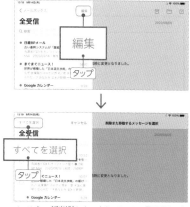

メールを一括削除したいなら、メール一覧画面の上部にある「編集」→「すべてを選択」をタップしよう。すべてのメールが選択状態になる。

2 「ゴミ箱」をタップしてまとめて削除

この状態で、メール一覧画面の下部にある「ゴミ箱」→「すべてゴミ箱に入れる」をタップすると、すべてのメールをまとめて削除できる。

複数のメールを2本指で素早く選択する

1 2本指でスワイプして複数メールを選択

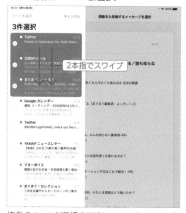

複数のメールを選択する時は、メールをいちいち個別にタップしなくても、2本指で上下にスワイプするだけで素早く選択状態にできる。

2 一つ飛ばして選択し続けることも可能

選択せずに残したいメールがあれば一度指を離し、一つ飛ばして次のメールから2本指で下にスワイプしていけばよい。

下書きメールを素早く呼び出す

1 新規作成ボタンをロングタップ

ロングタップ

以前下書き保存したメールを呼び出すには、いちいち「下書き」トレイを開く必要はない。新規メール作成ボタンをロングタップしてみよう。

2 下書きを選んで再編集する

タップ

保存済みの下書きメールが一覧表示される。タップすればメールの作成画面が開いて、続きを作成できる。左にスワイプすれば下書きを破棄できる。

会社の送信メールをBccで自分宛てに送りiPadで確認する

1 会社からのメールをBccで自分宛てに送信

Bcc 青山 太郎 (standards.co.jp) ×

Bccで自分も宛先に追加しメールを送信

会社のメールアカウントがPOP形式だと、送信メールは送信した端末にしか保存されない。このため、会社のパソコンから送ったメールを、自宅のiPadのメールアプリで確認するといったことはできない。これを確認できるようにするには、Bccで自分宛てにもメールを送っておこう。

2 自宅のiPadでも会社の送信メールを読める

iPadで会社の送信済みメールを読める

このように、会社のパソコンから送信したメールが受信トレイに届くので、送信済みメールをiPadのメールアプリでも読めるようになる。

メール本文の一部を引用して返信する

1 | 引用したい箇所を選択状態にする

メールの全文ではなく、必要な部分だけ引用して返信メールを作成したい場合は、まず引用したい部分をロングタップして選択状態にしよう。

2 | 一部だけ引用された状態で返信できる

返信ボタンをタップすると、選択した部分のみが引用された状態で、返信メールを作成できる。全文引用が長くなりすぎる場合に便利だ。

メールを削除する前に確認する

1 | 「削除前に確認」をオンにする

メールをうっかり削除してしまうのを防ぐために、まず「設定」→「メール」にある「削除前に確認」のスイッチをオンにしておこう。

2 | 削除前にメッセージが表示される

メールの表示画面でゴミ箱ボタンをタップすると、本当に削除するか確認メッセージが表示されるようになる。

メールの署名には電話番号を記載しておこう

「もしかして」で名前が着信画面に表示される

　連絡先に登録していない番号から電話やFaceTime通話がかかってきたのに、着信画面に「もしかして：○○」と表示され、電話に出たら実際に本人で驚いた経験はないだろうか。これは、iPadがメールの内容を分析して、署名に記載されている電話番号から発信者を特定しているため。自分もメールの署名に電話番号を載せて送信しておけば、相手が自分の電話番号を連絡先に登録していなくても、「もしかして：○○」と表示されるようになり、「知らない人からの電話」とスルーされなくて済む。不在着信の履歴にもしっかり表示されるので、ビジネスメールなどは電話番号入りの署名で送っておくのがおすすめだ。まず「設定」→「メール」→「署名」をタップし、「アカウントごと」にチェック。仕事用アカウントの署名欄に、名前と電話番号を入力しておこう。新規メールの作成や返信時に、自動的に電話番号入りの署名が表示されるようになる。

**署名に電話番号も
入力しておく**

→

相手の着信画面に「もしかして：○○」が表示される

「設定」→「メール」→「署名」で、仕事用アカウントの署名に、電話番号も入力しておこう。

その他
の仕事技

その他の仕事技[1]

iPadでビデオ会議に
参加する

ZOOMを使ってオンライン会議を行ってみよう

テレワークが急速に普及してきた昨今、「ZOOM Cloud Meetings(以下、ZOOM)」を使ったビデオ会議が一般化してきた。ZOOMは、パソコンだけでなく、スマホやタブレットなどの端末に対応しており、もちろんiPadでも利用が可能だ。ここでは、ZOOMでミーティングを開始する方法やミーティングに参加する方法など、基本的な操作を紹介しておこう。なお、無料ライセンスで3人以上のグループミーティングをホストする場合、40分までの制限時間がある(1対1の場合は無制限)。頻繁に使うなら月額2,000円〜の有料プランを契約しておくといい。

ホスト側でミーティングを今すぐ開始する

1 「新規ミーティング」を
タップする

ZOOM Cloud
Meetings
作者 Zoom
価格 無料

今すぐミーティングを開始する場合は「新規ミーティング」

日時を決めてミーティングをする場合は「スケジュール」

ZOOMでアカウントにサインインすると、上の画面が表示される。今すぐミーティングを主催したい場合は、「新規ミーティング」をタップしよう。なお、日時を決める場合は「スケジュール」から設定できる。

2 今すぐミーティングを
開始する

タップ

「新規ミーティング」の場合、設定画面が表示されるので「ミーティングの開始」をタップ。すると、自分がホスト役となってミーティングが開始される。なお、ミーティングはいつでも終了可能だ。

ホスト側で他のユーザーを招待する

1 | 招待リンクをコピーして他のユーザーに送る

招待リンクを他のユーザーに共有する

他のユーザーをミーティングに招待する場合は、「連絡先」→「招待」→「招待リンクをコピー」をタップ。招待リンクのURLがコピーされるので、メールやメッセンジャーなどで参加者に伝えよう。

2 | 参加してきたユーザーを許可する方法

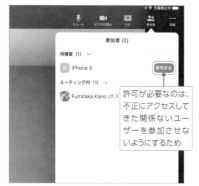

許可が必要なのは、不正にアクセスしてきた関係ないユーザーを参加させないようにするため

ミーティングの設定によっては、他のユーザーが参加した場合、ホスト側が許可する必要がある。許可を行うには、「連絡先」から許可したいユーザーの「許可する」をタップしよう。

ミーティングに参加する

1 | ホストから送られてきたURLをタップする

招待リンクからZOOMが起動しない場合は、一旦URLをメモアプリに貼り付けてからタップしてみよう

ホストから送られてきた招待リンクのURLをタップすると、ZOOMが起動する。もし、ZOOMが起動しない場合は、URLをコピーしてメモアプリなどに貼り付けてから再度タップしてみよう。

2 | 設定を行ってミーティングに参加する

タップ

ビデオ付きで参加する場合は、プレビューを確認して「ビデオ付きで参加」をタップ。さらに「インターネットを使用した通話」をタップすれば、音声と動画付きでミーティングに参加できる。

テキストやファイルを別の
アプリへドラッグ&ドロップ

ロングタップでさまざまなデータをドラッグできる

　iPadでは、画像やPDFといったファイルだけでなく、アプリ内のテキストや表などのデータも、ドラッグ&ドロップで操作できるようになっている。ドラッグ操作が可能なアイテムは、選択した状態でロングタップすると少し浮かび上がって表示される。この指を離さずに、別の指で画面を上にスワイプするかホームボタンを押してホーム画面に戻り、他のアプリを起動しよう。あとは、他のアプリの貼り付けたい位置に、ロングタップで浮かび上がったファイルやテキストをドラッグして指を離せばペーストできる。Split ViewやSlide Overで画面を分割して、ドラッグ&ドロップで別のアプリに受け渡すことも可能だ。これを利用すれば、Safariで調べたテキストや画像をノートアプリに貼り付けてまとめたり、集計データの一部をメールに貼り付けて送るといった作業もすばやく行える。標準アプリ以外にも多くのアプリでも使えるテクニックなので、覚えておこう。

テキストや表もドラッグ&ドロップで操作できる

ファイルだけでなくテキストもドラッグ&ドロップが可能だ。テキストを選択してロングタップすると、テキストが浮かび上がって自由にドラッグできるようになる。メモやメールにドロップして貼り付けよう。

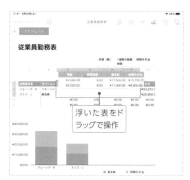

表計算アプリで表の一部を選択してロングタップすると、表が浮かび上がって自由にドラッグできる。ただし受け渡すアプリによっては、セルではなく画像でペーストされることもあるので注意。

ファイルやデータをドラッグ&ドロップで受け渡す方法

1 | テキストや画像を選択してロングタップ

コピーしたい内容を選択してロングタップする

コピーしたいテキストや画像を選択状態にし、そのままロングタップしよう。選択した範囲が浮いた状態になりドラッグできるようになる。Safariで開いたWebページのテキストや画像などもドラッグできる。

2 | ファイルは複数選択も可能

ファイルをロングタップして浮いたら少し動かし、別の指で他のファイルをタップしていく

テキストや表は複数選択ができないが、ファイルなら複数まとめて選択できる。ファイルをロングタップして浮いた状態になったら、少しだけ動かすのがコツ。そのまま他のファイルをタップすると複数選択になる。

3 | 別の指でホーム画面に戻って他のアプリを起動

ロングタップした指は残したまま、別の指で操作する

ロングタップした指は残したまま、別の指で画面を上にスワイプするかホームボタンを押すとホーム画面に戻る。続けて、ファイルやデータを貼り付けたい他のアプリをタップして起動しよう。

4 | ロングタップしたままの指をドラッグして貼り付け

ロングタップしたデータやファイルをドロップ

メールアプリにテキストを貼り付けるなら、別の指で新規作成ボタンをタップし、メール入力欄をタップ。ロングタップで残したままのテキストを入力欄にドラッグして指を離せば、テキストが貼り付けられる。

仕事用iPadに最適な格安SIM

セルラー版のiPadを格安で運用しよう

　iPadを外出先でも使いたい時にネックとなるのが通信料だ。ドコモやau、ソフトバンクですでにスマートフォンを契約中なら、iPad向けの割安なデータシェアプランも用意されているが、スマートフォンを格安SIMで使っているなら、iPadも格安SIMで契約した方が安い。ただ、あまり大容量のプランを契約して通信料が高くついては本末転倒だ。基本は自宅や会社のWi-Fi接続で利用し、いざという時だけ外出先でもiPadをネット接続できるように、1〜3GB程度の低容量プランを選ぼう。なお、iPadで格安SIMを使うには意外と制約が多いので注意。まず基本的に、Wi-FiモデルではなくセルラーモデルのiPadがないと格安SIMは使えない。またドコモ・au・ソフトバンク版のiPadは、格安SIMの回線を使うのにSIMロック解除が必要になる場合がある。さらに格安SIM会社ごとに、動作確認済みのiPadも異なる。どれを選べばいいか分からないなら、他社と比べて動作確認済みiPadの機種が多い「mineo」がおすすめだ。ドコモ・au・ソフトバンク回線から選べるので、SIMロック解除も不要で使える（au版iPadのみSIMロック解除が必要なモデルがある）。iPadは単体でSMSを送受信できないので、データ通信プランのみの契約でよい。

mineoの「シングルタイプ 3GB」がおすすめ

mineo
https://mineo.jp/

シングルタイプ（データ通信のみ）	
3GB	900円／月

※ソフトバンク版のSプランのみ990円

iPadで使う格安SIMはmineoの「シングルタイプ 3GB」がおすすめ。容量は500MB〜30GBのプランから選べるが、たまに接続するだけなら3GBで十分。通信キャリアで購入したセルラーモデルの場合、ドコモ、au、ソフトバンクでそれぞれDプラン、Aプラン、Sプランを契約しよう。また、SIMフリーのiPadの場合は、利用エリアなどにもよるが、ドコモ回線のDプランが無難だろう。なお、時間帯によって通信速度制限のある「エココース」を選べば料金が50円安くなる。

iPadをマウスで操作する

Bluetoothや有線マウスも使える

　iPadには、外付けのキーボードだけでなくマウスを接続できる。例えば「Command」キーを押しながら複数項目を選択したい時、キーボードだけでは選択できないが、キーボード＋マウスの操作なら選択できる場合があるので、手元に1つあると便利だ。iPadと接続するのにもっとも手軽なのはBluetoothマウスだが、USB接続の有線マウスやUSBレシーバーを使うタイプの無線マウスでも、USB変換アダプタなどを介してiPadにケーブルやレシーバーを接続すれば、ポインタが表示される。マウスの基本操作としては、左クリックでタップ、右クリックでロングタップ相当のメニューを表示。画面下部からさらに下に動かすと、App使用中はホーム画面に戻り、ホーム画面表示中はAppスイッチャーが表示される。また、画面上部からポインタをさらに上に動かすと通知センターが表示され、右上のバッテリー表示部をクリックするとコントロールセンターが表示される。その他、「設定」→「アクセシビリティ」→「AssistiveTouch」をオンにし、「デバイス」でマウス名をタップすると、各ボタンに割り当てる機能を自由に変更できる。

Bluetoothマウスをペアリングする

ロジクール M337
実勢価格 1,900円

iPadでBluetoothマウスのペアリングを済ませると、画面上にポインタが表示される。左クリックや右クリック、ホイールで操作できるほか、AssistiveTouch機能でボタンの動作をカスタマイズすることもできる。

> マウスポインタで操作できる

> ポインタは、パソコンの矢印とは異なり丸印が表示される

iPadをWindowsパソコンの
サブディスプレイにする

Windowsでも「Sidecar」のような操作が可能に

iPadをMacのサブディスプレイにする「Sidecar」(P247で解説)と似た機能を、Windowsパソコンでも実現するアプリが「Duet Display」だ。Windows側で専用ソフトを起動し、iPadにもアプリをインストールして起動しておけば、あとはUSBケーブルで接続するだけで、iPadをWindowsパソコンの2台目のディスプレイとして使えるのだ。Windowsの画面の延長上にiPadの画面が配置されるので、余分なウインドウをiPad側に置いて画面を広く使ったり、ファイルを2つの画面で開いて見比べながら作業したい時に便利だ。iPad側の画面は表示の遅延もほとんどなく、指やApple Pencilでタッチ操作もできる。なお、「Duet Display」はケーブルで有線接続するだけでなく、ワイヤレス接続も可能だが、別途「Duet Air」のサブスクリプション契約(年間2,200円)が必要となる。

1 | Windowsにソフトを
インストールする

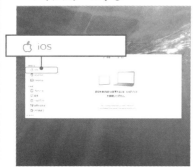

パソコン側では、公式サイト(https://ja.duetdisplay.com/)からWindows用ソフトをダウンロードしインストールを済ませておこう。パソコンを再起動するとタスクトレイに常駐するので、アイコンをクリックして設定画面を開き、左メニューの「iOS」を選択しておく。

2 | iPadにアプリを
インストールする

Duet Display
作者 Duet, Inc.
価格 1,220円

iPad側にもDuet Displayのアプリをインストールし、起動する。初回起動時はユーザー登録を求められるが、ケーブルで接続して使うだけなら登録は不要だ。

ケーブルで接続してiPadをサブディスプレイにする

WindowsとiPadでそれぞれ「Duet Display」を起動し、USBケーブルで接続すると、iPadがWindowsのサブディスプレイになる。標準設定では、Windowsの画面の右端とiPadの画面の左端が地続きになり、マウスポインタが行き来できる。iPad側の画面も、カーソルを移動すればマウスで操作できるほか、指やApple Pencilを使ったタッチ操作にも対応。ホーム画面に戻って他のアプリを操作することもできるが、しばらく「Duet Display」の画面を表示していないと、自動で接続が切れる。

Windows側ですぐに使わないウインドウなどを、右端までドラッグしてiPadの画面に移動させれば、Windowsの画面を広く使える。また、Windowsにはソフトのメイン画面だけ置いてツールやパレットをiPad側に配置するなど、さまざまな利用法が考えられる

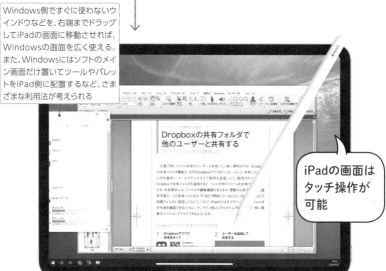

iPadの画面は
タッチ操作が
可能

使いこなし
ヒント

ディスプレイの位置関係や表示方法を変更するには

Windowsのデスクトップを右クリックし、「ディスプレイ設定」をクリックすると、マルチディスプレイの設定を変更できる。iPadの画面の位置を上下左右に変更したり、WindowsとiPadで同じ画面を表示する複製に変更することも可能だ。解像度の変更は、Duet Displayのソフトに設定項目が用意されている。

その他の仕事技「 6]

電子書籍のテキストを
引用、活用したいときは
コピペやハイライト機能で整理しよう

　技術書など何度もページを行ったり来たりして読み返すタイプの本は、紙の本だと分厚いものが多く読みづらいし、付箋などを付けて整理するにも限界がある。複数の本を読み比べたい時に、机の上に何冊も開いておくのも邪魔だ。その点、電子書籍であればiPadに分厚い本を何冊入れようが重さは変わらないし、ページ内のテキストをコピペできるので、ノートに重要なポイントをまとめるといったことも簡単に行える。また、分からない単語があれば選択してすぐに検索できるし、よく見るページにブックマークやハイライトを追加しておけば、あとからまとめて一覧表示でき検索性も抜群だ。紙の本だと直接ペンで書き込むのは気が引けるが、電子書籍なら自由に線を引いたり消したりできる点も便利。ここでは、Kindleを使って電子書籍を活用するためのポイントを紹介する。

重要なポイントをSplitViewで開いたメモにまとめる

Kindle
作者 AMZN Mobile LLC
価格 無料

KindleとメモをSplitViewで開いておけば、Kindle本でテキストをコピーし、メモに貼り付けてまとめておくことも簡単だ。テキストのドラッグ＆ドロップには対応してないので、コピーボタンでコピーしよう。なお電子書籍のテキストのコピーは、個人としての利用の範囲内なら問題ないが、第三者に配布すると著作権法違反なので注意。

テキストをハイライトしてまとめて確認、メールで共有する

1 | ロングタップで選択してカラーを選ぶ

ロングタップでハイライトしたいテキストを選択すると、ポップアップメニューが表示されるので、塗りたい色を4色から選んでタップしよう。

2 | マイノートを開いてハイライトを確認

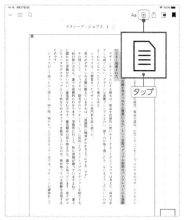

ハイライトやブックマークしたテキストをまとめて確認するには、画面内を一度タップしてメニューを表示させ、右上のマイノートボタンをタップしよう。

3 | カラーやスターで絞り込みも可能

マイノート画面で左上のフィルターボタンをタップすれば、星付き、ハイライトのカラー、メモ、ブクマークなどの条件で絞り込み表示することも可能だ。

4 | ハイライトした箇所をメールで共有する

右上の共有ボタンから「Eメール」をタップすると、ハイライトした箇所などをhtml形式で添付して送信できる。ただしコピー対策のため、共有できるのは全体の1%までなどの制限がある。

iPadにUSBメモリや
SDカードを接続する

ファイルアプリで外部メモリのファイルを取り込む

　　最近のiPadの外部接続端子には、USB Type-C（以下USB-C）端子または
Lightning端子が搭載されている。対応する変換アダプタを使えば、USB
（Type-A）端子に対応したデバイスを接続することが可能だ。デジタルカメラや
USBメモリ、USBキーボード、オーディオインターフェイス、MIDIキーボード、LAN
アダプタなど、接続できるデバイスはさまざま。すべてのUSBデバイスがiPadで利
用できるわけではないが、「iPad対応と書かれていないデバイスでも接続したら使
えた」といったことがよくあるのでいろいろ試してみよう。また、iPadに接続した
USBメモリやSDカードなどの外部ストレージにアクセスしたい場合は、ファイルア
プリを利用すればいい。iPad内にあるファイルをUSBメモリにコピーしたり、SD
カード内の写真や動画をiPadに取り込んだりが可能だ。

USBメモリの接続にはUSB端子への変換アダプタが必要

Apple
USB-C - USBアダプタ
実勢価格 1,800円（税別）

iPad ProのUSB-C端子を通常のUSB端子に変
換するアダプタ。USBメモリのほか、さまざまな
USB機器を接続することが可能だ。

Apple
Lightning - USBカメラアダプタ
実勢価格 2,800円（税別）

iPadのLightning端子をUSB端子に変換するア
ダプタ。iPadOSなら外付けストレージをUSB接続
して、ファイルアプリで中身を確認できる。

SDカードリーダーを用意すればSDカードも読み込める

**Apple
USB-C - SDカードリーダー**
実勢価格 4,500円（税別）

SDカードリーダーをアダプタに接続すれば、iPadでSDカードを読み取れるようになる。上記はiPad ProのUSB-C端子用アダプタで、転送速度が従来よりも高速になっている。

ファイルアプリから外部メモリのファイルを読み込む

1 ファイルアプリから 外部メモリを読み込む

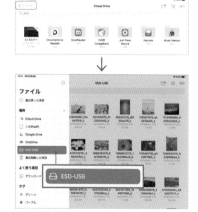

外部ストレージのファイルをiPadに取り込むときは、ファイルアプリを使う。ファイルの項目一覧を表示したら、接続した外部ストレージ名をタップ。

2 選択したファイルを iPad内に読み込む

> 選択したファイルをコピーし、iPad内や各種クラウドストレージに貼り付けて取り込んでおこう

外部ストレージ内の内容が表示される。右上の「選択」でファイルを選択して、右下の「その他」→「コピー」でコピーし、iPad内などに貼り付けよう。

iPad
はかどる!
仕事技
2021

2020年10月30日発行

Writer
狩野文孝　西川希典

Designer
高橋コウイチ(WF)

DTP
越智健夫

編集人
清水義博

発行人
佐藤孔建

発行・発売所
スタンダーズ株式会社
〒160-0008 東京都新宿区
四谷三栄町12-4 竹田ビル3F
TEL 03-6380-6132

印刷所
三松堂株式会社

本書の記事内容に関するお電話でのご質問は一切受け付けておりません。編集部へのご質問は、書名および該当箇所、内容を詳しくお書き添えの上、下記アドレスまでメールでお問い合わせください。内容によってはお答えできないものや、お返事に時間がかかってしまう場合もあります。

info@standards.co.jp

ご注文FAX番号 03-6380-6136